Tinboethach

Gwasg
Gwynedd

Argraffiad cyntaf – Tachwedd 2008

© yr awduron unigol 2008

ISBN 0 86074 251 2

Mae'r cyhoeddwyr yn cydnabod cefnogaeth ariannol
Cyngor Llyfrau Cymru.

*Cyhoeddwyd ac argraffwyd
gan Wasg Gwynedd, Caernarfon*

Cynnwys

Ar brynhawn o haf

Fuodd hi erioed yn 'beth handi'.

Ond . . .

'Mi wnei di wraig dda i rywun, ryw ddiwrnod,' meddai sawl un wrthi dros y blynyddoedd. Blynyddoedd o fynd allan ar benwythnosau wedi'i gwisgo mewn gobaith, ac o faglu adref ar ei phen ei hun wedi'i gwisgo mewn siom. Blynyddoedd o orfod gwylio'r hwyaid eraill o'i chwmpas yn troi'n elyrch, a cholli un ffrind ar ôl y llall wrth iddyn nhw gefnu arni fesul un oherwydd, er ei bod yn gwmpeini da ac yn gallu bod yn goblyn o gês, ni fedrai gystadlu yn erbyn sylw rhyw hogyn neu'i gilydd.

Ond dwi ddim isio bod yn wraig dda, sgrechiodd yn aml ond yn fud, fel y creadur/greadures hwnnw-neu-honno yn narlun Munch. *Ddim eto, beth bynnag. Dwi isio bod yn gariad cyn hynny, yn gariad wych i nifer, a thorri eu calonnau bob un. Dwi isio profi sut deimlad ydi o i orffan efo rhywun er mwyn cael symud ymlaen at yr un nesaf, a'r un nesaf wedyn ar ôl hwnnw.*

Dim ond wedyn, efallai, y byddaf yn barod i feddwl am fod yn wraig dda i rywun. Rhyw hogyn lwcus . . .

A Dewi oedd hwnnw, yn ystod ei blwyddyn olaf yn

y coleg; ei chariad cyntaf-ac-olaf, hogyn swil a thawel, hogyn parchus, hogyn neis.

Ac yn ŵr da iddi,. a thad da i Delyth a Siôn. Nid yn hync o bell ffordd – ond dyna fo, fuodd hithau erioed yn beth handi, er i Dewi ddweud wrthi droeon yn ystod eu blynyddoedd cyntaf, gan amlaf pan orweddai'n noeth ar y gwely wrth ei ochr,

'Rw't ti'n ydrach fel y ma' dynas i *fod* i ydrach.'

Arferai ei wên a'i lygaid ddawnsio'n araf dros ei bronnau cyfforddus gyda'u tethi mawrion brown fel bonion canhwyllau, a'r cylchoedd tywyllach o'u cwmpas fel soseri; dros ei bol gwyn a'i chluniau 'tebol, cyn setlo ar y triongl blewog a flodeuai rhyngddynt yn wyllt. Arferai hithau ei astudio yntau'n ôl, ei bysedd wedi'u lapio'n dynn am ei godiad parod a'r un llygad bychan, cul fel petai'n wincian arni'n ddagreuol. Hoffai redeg blaenau'i bysedd – ac yna flaen ei thafod – dros y gwythiennau a redai dan y croen a'i deimlo'n cynhyrfu fwyfwy dan ei bysedd, dan ei gwefusau, yn erbyn ei dannedd a'i thafod. Hoffai ei ollwng am eiliad er mwyn dal ei bysedd i fyny i'r goleuni a gwenu ar y llinynnau clir a'u clymai i'w gilydd, cyn eu llyfu i ffwrdd a llyncu'r halen, ac yna dychwelyd am ragor.

Eu dau, a dweud y gwir, yn mwynhau gohirio pethau nes i'r oedi droi'n annioddefol, a hi, gan amlaf, oedd y cyntaf i ildio, gan fethu ag aros eiliad yn hwy cyn ei dynnu tuag ati a'i deimlo'n llithro i mewn iddi'n eiddgar . . .

Yn awr, ar drothwy ei phen-blwydd yn bump a deugain oed, ymysgydwodd eto fyth.

Beth oedd yn *bod* arni heddiw?

Y gwres, meddai wrthi'i hun, 'anrheuliedig haul Gorffennaf gwych' yn mynnu ei llusgo'n ôl i'r gorffennol nwydus hwnnw a barodd am flwyddyn neu ddwy cyn iddi setlo i fod yn wraig dda. Ie, y gwres, yn bendant. Pawb yn ddiolchgar amdano heddiw o bob diwrnod, diwrnod yr arddwest, a hithau'n sefyll y tu ôl i fwrdd pren hir yn ei blows a'i sgert sipsi yn gwylio'r teisennau'n cael eu prynu fesul un. Roedd y rhai a gyfrannodd hi wedi hen fynd, roedd yn falch o fedru dweud, ond dyna ni, roedd hynny i'w ddisgwyl, yn doedd? Roedd ei theisennau a'i bara brith bellach yn enwog drwy'r fro – un rhan o fod yn wraig dda, fel sefyll yma gyda'r gwragedd gwych eraill, ei gwên yn siriol a pharod ond â'i thethi'n llosgi'n galed dan ei blows gotwm, barchus o Marks a'i bra diogel a chall, ac â'i nicyrs yn prysur droi'n wlyb socian wrth iddi . . . wrth iddi . . . deimlo'r llygaid arni unwaith eto.

Ac unwaith eto cododd ei phen a chwilio am eu perchennog yng nghanol y dorf, yr unig un a ddylai fod yn sefyll yn llonydd wrth i bawb arall droi a throsi fel llanw o'i gwmpas – llanw hanner noeth gyda chlifejis a chluniau a cheseiliau a chrychau pen-ôl i'w gweld lle bynnag roedd rhywun yn edrych.

Bu'n ymwybodol o'r llygaid ers . . . o, ers iddi gyrraedd yma, fwy neu lai. Yn sicr ers iddi ymsythu ar ôl gosod ei theisen olaf ar y bwrdd a gadael i flaen ei thafod lyfu'r slefren denau o hufen gwyn oddi ar flaen ei bys. Mentrodd sugno ar ei bys am eiliad neu ddwy, a phan dynnodd y bys o'i cheg, ei flaen yn loyw wlyb yn ngolau'r haul, teimlodd y llygaid wedi'u hoelio arni – ar ei cheg, ei gwefusau a'i thafod, ac yna ar ei gwddf ac ar y bronnau a deimlai fwyaf sydyn fel petaen nhw'n chwyddo ac yn llenwi ei blows.

Dau lygad direidus, teimlai, ac oddi tanyn nhw, roedd gwên lydan: dwy resiad o ddannedd gwynion, gyda blaen tafod pinc i'w weld yn sbecian allan rhyngddynt yn chwareus.

Ond llygaid pwy, doedd wybod.

Syllodd ar y dorf, gyda'i llygaid hi'n neidio o un wyneb i'r llall.

Pwy?

Dychmygu roedd hi, meddyliodd, gan deimlo'i hun yn cochi. Wedi'r cwbl, pwy fasa'n ei llygadu *hi* fel yna, mewn difrif calon? Hi, o bawb. Ceisiodd ganolbwyntio ar ei chwsmeriaid, ac ar sgwrsio gyda'r gwragedd eraill. Doedd neb wedi ei llygadu fel yna ers y troeon cyntaf rheiny iddi orwedd yn noeth gyda Dewi . . .

Rw't ti'n ydrach fel y ma' dynas i fod i ydrach.

Nac ydw, meddai wrthi'i hun. Ddim erbyn hyn. Mae gormod ohonof, llawer gormod. Llond llofft o ddynas, chwedl ei thad erstalwm. Teimlai fel sachaid o datws bob tro yr edrychai ar y merched ifainc a grwydrai heibio i'w stondin: gwialenni pysgota o bethau, gyda'u jîns hanner ffordd i lawr eu cluniau yn dangos rhyw stribedyn o nicyr a'u bronnau di-ddim gyda'u blaenau'n ymwthio allan ac i fyny fel blaenau esgidiau'r tylwyth teg. Fel yna y mae merched i fod i edrych y dyddiau yma, dyna beth sy'n ddeniadol.

Oedd Dewi, tybed, yn meddwl felly erbyn hyn? Roedd o'n gaeth i'w ddesg heddiw, ond petai o yma, a fyddai yntau – fel nifer o'r dynion, o'r gwŷr da y daliodd hi hwy droeon – yn cil-lygadu'r holl gnawd benywaidd ifanc oedd yn byrlymu o gwmpas y cae? Roedd blynyddoedd bellach wedi mynd heibio ers iddo ddweud wrthi ei bod yn ardderchog fel ag yr oedd hi, ac yn edrych fel y dylai merched edrych.

Cofiodd am linellau o gerdd y daeth ar ei thraws mewn nofel yn ddiweddar, cerdd gan y bardd Americanaidd, Frank O'Hara:

> *Have you forgotten what we were like then*
> *when we were still first rate*
> *and the day came fat with an apple in its mouth.*

Gwenodd, ychydig yn ddigalon a dweud y gwir. Ei dychymyg oedd wedi creu'r llygaid gwych rheiny, a'r gwres oedd wedi procio'i chof a'i lusgo'n ôl dros bum mlynedd ar hugain i'r dyddiau pan oedd hi'n hawdd rhyfeddu a dotio. Pan oedd edrychiad ganddi'n ddigon i achosi codiad, a gwên arbennig ganddo fo yn llwyddo i laethu'i chluniau.

'Helô – ?'

Teimlodd fysedd yn cyffwrdd â chefn ei llaw. Eirlys,

gwraig fach dda arall os bu un erioed, yn syllu arni'n bryderus.

'W't ti'n iawn?'

'Ydw. Ydw, tad.'

Ond doedd hi ddim, oherwydd gallai deimlo'r llygaid yn sgrialu drosti unwaith eto ac ofnai – na, *gwyddai* – petai hi ond yn cyffwrdd â hi'i hun yna buasai'n dŵad yn y fan a'r lle, yn toddi i lawr i'r glaswellt yn un swpyn diymadferth. Roedd popeth mor *gryf* mwyaf sydyn, mor lliwgar, mor fyddarol; rhuthrodd blas yr hufen yn ôl i'w cheg a llanwyd ei ffroenau â phersawr gwair oedd newydd gael ei dorri.

'Nag w't, dw't ti ddim,' meddai Eirlys. 'Yli – cer i ga'l panad ac ista i lawr, rw't ti wedi bod ar dy draed ers hydoedd. Ma'r gwres yma'n llethol.'

Nodiodd. 'Ia, falla . . . falla y gwna i hynny. Fydda i ddim yn hir . . . '

'Ty'd yn d'ôl pan fyddi di'n barod,' meddai Eirlys.

Nodiodd eto, a dianc yn ddiolchgar gan deimlo'r tu mewn i'w chlun dde yn rhwbio'n bryfoclyd yn erbyn y tu mewn i'w chlun chwith. Canolbwyntiodd ar igam-ogamu drwy'r dorf, gan osgoi pa rai bynnag a fynnai ei hatal a'i llusgo i ffwrdd am sgwrs a phanad. Roedd aroglau olew haul a bwydydd wedi'u ffrio yn awr yn cystadlu yn erbyn sawr y gwair a'r glaswellt. Teimlai ei bronnau'n drwm ac yn *fyw*, rhywsut, fel petaen nhw'n ymwthio'n ddiamynedd yn erbyn defnydd caled ei bra ac yn ysu am gael eu rhyddhau, am gael teimlo'r haul yn eu cusanu, am gael anadlu.

Oedd y llygaid yn ei dilyn?

Fe'i daliodd ei hun yn meddwl, *Plis, ydyn,* wrth iddi adael cae'r arddwest a sarffu'i ffordd rhwng yr holl geir oedd wedi'u parcio yn y cae drws nesaf. Cae mawr oedd hwn – bryn bychan i bob pwrpas – a cherddodd heibio i'r car olaf un ac yna i lawr am y gamfa, y goedwig a'r afon. Brysiodd ei chamau, gan deimlo'r glaswellt yn cosi ei fferau a'r haul yn boeth ar ei gwar a'i breichiau noethion.

Trodd yn sydyn pan oedd ar ben y gamfa, gan ildio i'r demtasiwn o edrych yn ei hôl.

Neb.

Ddylwn i fod yn ddiolchgar, meddyliodd ar ôl neidio i lawr yr ochr arall, ddylwn i fod yn falch nad oes neb wedi fy nilyn. Does wybod pwy sydd o gwmpas y dyddiau yma a dwi wedi gwneud rhywbeth go ddwl, erbyn meddwl, drwy ddŵad yma ar fy mhen fy hun bach gyda'r un enaid byw yn gwybod lle yr es i.

Ond yma roedd hi, yn eistedd yn awr ar lan yr afon gyda'r coed a'r llwyni'n drwchus o'i chwmpas, ei sandalau'n wag ar y glaswellt meddal a'r dŵr yn byrlymu'n fendigedig dros ei thraed. Llithrodd yn ei blaen nes ei bod yn sefyll yn y dŵr, a'i hwyneb wedi'i ddal i fyny i'r haul a'i sgert sipsi wyrddlas wedi'i chodi dros ei phengliniau, yn mwynhau'r ysfa i ddiosg y cwbl – y sgert a'r flows a'r dillad isaf anghyfforddus – yna i'w taflu i ganol yr afon a'u gwylio'n cael eu cludo'n bendramwnwgl dros y cerrig ac o'i golwg am byth.

Dechreuodd yr afon sugno'r teimlad o'i thraed a gwaelodion ei choesau – mor wyn yr edrychent dan wyneb y dŵr – gan beri iddi dyfu, os rhywbeth, yn fwy ymwybodol o weddill ei chorff. Teimlodd ei gwythiennau'n dechrau canu dan ei chnawd. Doedd hyn ddim yn brofiad newydd iddi, a thaflodd ei phen yn ôl a chwerthin yn uchel wrth i'r goglais bach cyffrous hwnnw wibio drwy waelod ei stumog, yn gryfach heddiw nag y bu erioed o'r blaen.

Roedd dŵr wastad wedi llwyddo i'w chynhyrfu: ei hoff ffantasi oedd yr un am garu – na, am gnychu; am *ffwcio* – dan ddŵr, dŵr cynnes o'r un lliw â'i sgert sipsi, gyda physgod amryliw yn gwibio'n gymylau o'i chwmpas hi a phwy bynnag oedd â'i chluniau wedi eu lapio amdano (ond nid Dewi byth, am ryw reswm), eu dau'n troi a throsi mewn pelydren dew o heulwen.

Mewn ffordd, y môr oedd ei chariad cyntaf – y môr yn Aberdaron, ar ei gwyliau haf olaf gyda'i rhieni cyn iddi fynd yn 'rhy hen' i hynny, gyda'i gwisg nofio'n rhy dynn a'r brychni haul yn glwstwr dros ei hysgwyddau a thopiau ei bronnau, yn symud drwy'r dŵr (ni fedrai hyd yn oed y person mwyaf caredig fod wedi galw'i sblasian lletchwith yn *nofio*) at y creigiau, a gorffwys yno a'i chefn yn erbyn un ohonynt, ei choesau allan o'i blaen yn cicio'n ddiog, ei breichiau'n ymestyn yn ôl uwch ei phen a'i bysedd ynghlwm wrth y gwymon a lynai yn y graig.

14

Gorweddai yno ar wyneb y dŵr, fwy neu lai, gyda'r tonnau'n ei chodi i fyny ac i lawr fel corcyn, ac ymhen ychydig daeth yn ymwybodol fod y môr yn gwthio'i choesau'n agored, y carwr ystyfnig iddo, a gadawodd iddo wneud hynny nes bod ei chorff cyfan wedi creu siâp 'Y' a'i ben i lawr. Gollyngodd ei gafael yn y gwymon ddigon i dynnu'r strapiau poenus oddi ar ei hysgwyddau a rhyddhau ei bronnau o'i gwisg nofio, a hyd heddiw gallai gofio'r ochenaid uchel a roes pan deimlodd y don fechan gyntaf yn golchi'n swil, bron, dros ei thethi parod.

Nid oedd erioed wedi ochneidio fel yna o'r blaen, fel dynes am y tro cyntaf.

Caeodd ei llygaid. Doedd dim brys ar y môr, dim brys o gwbl wrth anwesu, wrth gusanu, wrth lyfu ei bronnau a'i chluniau, gydag ambell don yn gryfach na'r lleill ac yn fwy powld, rhywsut – yn plannu sws glec rhwng ei chluniau ac yn erbyn y gwefusau chwantus a ymwthiai drwy ddefnydd y wisg nofio. Cododd hithau ei chluniau i groesawu'r pwnio pryfoclyd hwnnw, ac yno, gyda'i bysedd wedi'u plethu i mewn i'r gwymon a oedd erbyn hynny wedi troi'n wallt chwyslyd, teimlodd ryfeddod orgasm yn rhuthro drwy'i henaid am y tro cyntaf erioed.

Yn awr, trodd a chamu'n ei hôl i fyny o'r afon, wedi troi'n sydyn yn y dŵr a'r teimlad sicr, yr wybodaeth, bron, fod perchennog y llygaid anhysbys rheiny wedi ei dilyn yma wedi'r cwbl, a bod y llygaid yn awr nid yn unig wedi ei gwylio ond wedi ei *darllen*, wedi gwledda ar ei chyfrinach – cyfrinach nad oedd hi erioed wedi ei rhannu â neb arall, ddim hyd yn oed Dewi.

A doedd ganddi'r un affliw o ots.

Gwenodd wrth graffu'n ofer dros y llwyni a datod botymau ei blows, cyn troi a gorwedd ar y glaswellt. Cododd ei phengliniau a gadael i'r sgert laes lithro i fyny dros ei chluniau, bron at ei chanol, a chreu bwa o'i chorff am eiliad wrth ymestyn y tu ôl i'w chefn a datod ei bra. Byrlymodd ei bronnau'n rhydd, y tethi'n boenus o galed, a gorweddodd yn ei hôl gyda'r wên ar ei hwyneb a'r haul yn anadlu'n gynnes ar ei chluniau a'i bronnau.

Gorweddodd ag un fraich dros ei llygaid – ei braich dde, a chyda'i llaw chwith yn llonydd ar y glaswellt ger ei chlun. Teimlai na fyddai ei hangen arni, er gwaetha'r ysfa a losgai'n awr rhwng ei chluniau.

'Ia,' meddai'n uchel, ac aros.

Aros am eiliadau'n unig, ond eiliadau a deimlai fel munudau hirion, yn llawn trydan.

Nid y fi ydi hon . . . nid i mi y ma' hyn yn digwydd . . . dydi petha fel hyn ddim yn digwydd i ferched fel fi . . .

Ac wrth iddi feddwl hynny, teimlodd y corff yn gorwedd ar y glaswellt wrth ei hochr.

Dechreuodd dynnu'i braich oddi ar ei llygaid ond teimlodd fysedd yn gorffwys yn ysgafn ar ei harddwrn.

16

'Na . . . ' sibrydodd llais, reit yn ei chlust, ag anadl gynnes yn cosi'i gwallt.

Gwyddai fod y llygaid yn awr yn crwydro'n hamddenol dros ei chorff a daeth yr ysfa drosti i rwygo pob dilledyn i ffwrdd, i ddangos y cyfan ac i'w hagor ei hun yn llydan, ond yna rhuthrodd gweillen boeth o bleser drwyddi wrth iddi deimlo cledr llaw yn crafu dros ei thethi, o'r chwith i'r dde ac yna'n ôl. Yna flaen bys yn troi mewn cylch o gwmpas ei theth dde, yna fys arall yn ymuno ag ef, yna fawd yn gwasgu'r deth yn erbyn y bysedd wrth i flaen tafod fflician dros ei theth chwith. Ochneidiodd yn uchel, ochenaid a drodd yn ebychiad wrth i wefusau gwlypion gau am y deth a dechrau sugno.

Dwi ddim i fod i ydrach, deallodd wrth deimlo'r llaw yn dal ei braich dros ei llygaid.

Gorweddai'n awr a'i chluniau ar led, ei sgert fel gwregys o gwmpas ei chanol. Teimlodd fysedd yn crwydro dros ei chnawd, i lawr at ei botwm bol, yna'u blaenau'n crafu'n ysgafn dros ei hystlys dde. Roedd y gwefusau yn awr yn sugno ar ei theth dde, a'r bysedd – *diolch, diolch byth!* – wedi symud yn is o'r diwedd ac yn anwesu'r croen tyner y tu mewn i'w chluniau, gan symud yn uwch, yn nes ac yn nes, a rhoes ebychiad nad oedd yn bell o fod yn floedd pan deimlodd hwy'n dawnsio dros flaen ei nicyrs. Roedd y defnydd, gwyddai, yn socian. Rhoes y bysedd y gorau i'w dawnsio pryfoclyd a dechrau ei rhwbio'n ysgafn, i fyny ac i lawr. Bron heb sylweddoli ei bod yn gwneud

17

hynny, cododd ei phen-ôl oddi ar y ddaear a theimlo'r cerpyn gwlyb yn cael ei dynnu i lawr dros ei chluniau, ei choesau, ei fferau a'i thraed.

Clywodd ochenaid, ac ar yr un pryd teimlodd anadl boeth ar ei chluniau wrth i fys lithro i mewn iddi – neu efallai mai hi oedd wedi ei sugno i mewn. Ta waeth – roedd y teimlad, wrth i'r bys symud a throi y tu mewn iddi, yn anhygoel. Yna teimlodd fawd yn pwyso yn erbyn ei gwefusau, a'r rheiny'n gwahanu ac yn agor, a bonyn y bawd yn pwyso yn erbyn ei chlitoris.

Gwingodd yn awr, gan godi'i chluniau a'i phen-ôl oddi ar y ddaear drosodd a throsodd wrth i'r bys a'r bawd ei . . . ei *ffwcio*, dyna'r unig air – y bawd yn rhwbio a'r bys yn symud i mewn ac allan ohoni, yn gyflymach a chyflymach, a gallai deimlo'r orgasm yn nesáu o bell ond ar garlam . . . ac yna sgrechiodd yn uchel wrth i'r gwefusau gau amdani ac wrth i'r tafod ei llyfu a llithro dros ei chlitoris.

Llewygodd.

Dim ond am ychydig eiliadau, a daeth ati'i hun gyda'r teimlad fod rhywun yn cusanu'i thalcen, cyn ymsythu a chamu drosti wrth ymadael. Gadawodd ei braich i orwedd dros ei llygaid nes bod pwy-bynnag oedd yno wedi mynd. Gorweddodd yno'n swp, yn syllu i fyny ar wyrddni dail uchaf y coed yn erbyn yr awyr las.

Llwyddodd o'r diwedd i sefyll a gwisgo.

Pwy oedd o? meddyliodd.

Neu *hi*?

Ond nid dyna pam yr oedd hi mor barod i beidio â sbecian, gwyddai. Na – ofnai weld nad oedd neb yno o gwbl. Chwara' teg, meddyliodd, dydi pethau fel hyn ddim yn digwydd go iawn.

Nid i wragedd da fel fi . . .

Dynes/dyn

Noson lawog. Canol dinas. Gwag. Gaeaf.

Mae hi'n camu oddi ar y bỳs, y glaw'n staenio'i chôt. Mae cysgodion dan ei llygaid. Mae'n syllu yn ei blaen â llygaid marw. Mae'n tanio sigarét, y fflam yn taflu'i golau ar ei hwyneb am ennyd cyn toddi'n ôl i'r tywyllwch. Mae'n sugno ar y ffiltyr, ac yn edrych i fyny. Bloc o fflatiau. Wedi gweld dyddiau gwell. Paris neu Prag. Mae hi'n un o fenywod Bunuel neu Kundera. Aflonydd. Anniddig. Tyn. Sugna eto ar y sigarét ac edrych i fyny at ffenest yn yr adeilad.

Mae o yn y gawod. Y glaw'n rhaeadru ar hyd ei wefus, ei wyneb, ei wddw, ei sgwyddau, ei fol, ei goesau, ei draed. Mae ei flew yn duo yn y dŵr. Mae'n rhwbio sebon rhwng cesail a choes, botwm bol a phen-ôl. Mae'r ewyn yn twchu'n hufen rhwng ei fysedd.

Mae hi'n aros yn y glaw yn smocio, yn gwgu ar ddyn sy'n dal ei hedrychiad. Mae golwg rhywun ar y gêm arni.

Mae o'n sychu ei hun, yn gweld ei amlinelliad yn stêm y drych. Mae'n sylwi ar farc dan ei fron. Marc ewin yn estyn ar draws ei ganol. Mae'n cyffwrdd ynddo.

Mae ei sawdl hi'n gwasgu ar goncrid. Lladd y sigarét. Codi'r droed, aç olion tybaco ar y pafin fel cynrhon yn gwingo.

Mae o'n gwisgo trowsus a chrys glân, y cotwm yn glaear ar ei gnawd. Mae ei lygaid yn ddi-liw. Mae'n llonydd. Mae'n cribo'i wallt, a stêm y gwydr yn pylu nes iddo ddod yn gliriach iddo'i hun.

Mae hi'n estyn am rif 7 ar yr intercom. Yn oedi cyn gwasgu. Yn gwasgu'n staccato. Ac aros. Aros. Dydi o byth yn brysio. Dyw hi byth yn gwasgu'n hir. Nac yn gwasgu'r eilwaith.

Yn ara deg mae o'n camu at yr intercom a'i bwyso.

Sŵn cras. Mae'r drws yn agor. Mae hi'n camu dros y trothwy i'r ffau, yn aberth parod.

Mae o'n cnoi darn o gaws cyn cymryd llowciad o win coch. Mae'r gwin a'r caws yn toddi yn ei geg. Mae'n chwyrlïo'i dafod yn yr hylif cyn llyncu.

Gwasgu botwm y lifft. Y lifft yn dod i lawr yn ara deg. Sŵn ei hymian yn crynu drwy'r muriau. Mae'n dod yn nes ac yn nes, cyn glanio a thawelu. Mae hi'n agor drws y lifft ac yn camu i mewn. Mae'r golau'n rhy galed ar ei chroen. Mae'n gwasgu'r botwm i'r seithfed llawr.

Mae o'n tywallt mwy o win. Mae'n fflicio drwy'r sianeli teledu. Mae'r lliwiau'n fflachio yn ei lygaid yn batrymau diystyr. Mae blas y caws yn dod 'nôl i'w geg a'i ffroenau. Mae'n llowcio mwy o'r gwin. Yn clywed grwndi'r lifft yn y pellter, yn dod yn nes.

Mae drws ei fflat ar agor. Mae hi'n oedi yn y drws cyn camu i mewn. Does dim sŵn sawdl, mae ei chyffyrddiad mor ysgafn ar y llawr pren. Mae'n sleifio i mewn.

Mae ei gefn tuag ati, ac nid yw'n troi. Mae'n gweld ei hadlewyrchiad yn y ffenest. Nid yw'n dweud gair. Mae'n yfed ei win heb gyffroi. Does dim gair yn dod o'i enau. Mae'n cymryd darn arall o gaws. Heb ei chydnabod. Nid oes gwydryn o win iddi hi. Na chydnabyddiaeth.

Mae hi'n oedi. Mae hi'n betrus. Mae hi'n aros. Mae hi'n penderfynu siarad, ond fel mae'r gair cynta'n dod o'i cheg –

Mae o'n taflu edrychiad, sy'n ei thawelu. Mae eu llygaid yn cloi.

Mae hi'n dechrau datod ei chôt. Llacio'r gwregys, yna datod y botwm ucha. Yna'r nesa a'r nesa, nes bod y botymau i gyd wedi'u datod. Yn datgelu crys gwyn, sgert ddu a bŵts. Mae'n aros yn llonydd. Yn ei wylio fo'n gorffen ei win yn ei amser ei hun. Mae hi'n groen gŵydd drosti, ac yn aros yn gwbl lonydd. Yn aros am arweiniad.

Mae o'n troi a sbio ar ei chorff. Nid yw'n gweld ei hwyneb. Mae'n camu'n ddidaro tuag ati ac yn cydio yn ei bron chwith gan agor botymau ei chrys gyda'r llaw arall. Mae'n tynnu'r fron allan o'i chwpan ac yn plygu i lawr.

Mae hi'n edrych i lawr arno. Yn edrych ar ymchwydd ei bron yn toddi i'w geg. Mae'n gweld y ddau ohonyn nhw yng ngwydr y ffenest, y fo yn grwm o'i blaen. Mae'n

*mwytho'i ben ac yn griddfan. Mae'n lapio'i chôt
amdano gan ei glymu o wrthi.*

Mae o'n codi, gan wthio'r gôt ar agor. Mae'n ei
gwasgu yn erbyn y wal ac yn rhwygo'i sgert at ei
phengliniau. Mae'n cydio mewn dyrneidiau o gnawd
rhwng ei sane a'i chamisol, ac yn tynnu'r deunydd i un
ochr cyn rhoi ei law ynddi, yn ddwfn. Mae o'n ei
thynnu hi gerfydd ei chôt at y bwrdd ac yn ei gwthio'n
ôl. Mae'n lledu ei choesau ac yn gwthio'i breichiau y
tu ôl i'w phen. Mae'r caws yn friwsion yn ei gwallt, ac
mae o'n cymryd llowciad o win cyn tywallt ychydig
ohono i'w cheg hi – gormod, nes ei bod hi'n tagu, ond
mae o'n dal i arllwys rhagor nes bod rhaeadrau gwaed
yn rhedeg o'i gwefusau i'w gwddw. Mae'n hyrddio i
mewn iddi hi ac mae hi'n codi i gwrdd ag o.

*Mae hi'n tynnu i ffwrdd, yn ei wthio i lawr nes bod ei
wallt o yn y briwsion caws, ond does dim amser ganddi
am win. Mae hi'n eistedd arno ac mae hi'n wyllt ac mae
hi'n ei frifo – mae hi'n gwthio'i freichiau'n ôl ac mae'r
gwewyr yn dod o bell, yn don sy'n codi ynddi ac yn dod
yn nes, nes cyrraedd a thorri drosti a'i boddi, ac mae
hi'n tawelu. Llacio. Gadael 'fynd.*

Mae o'n ei chodi oddi arno, yn ei throi ar ei bol.
Mae'n ei thynnu a'i phlygu i'w rhythm o. Mae hi'n
ildio i'w reolaeth ac mae'n bwrw'i lid a'i loes i mewn
iddi – yn ymwared a llacio, ymwared a llonyddu, yn
llai beichus ond yn fwy gwag.

*Mae ei breichiau'n estyn yn ôl i'w gyffwrdd, i gysylltu,
ond yn methu cyrraedd.*

Mae o'n gorwedd yn drwm arni am rai eiliadau, a chyn iddo godi a mynd i'r ystafell ymolchi, mae'n cyffwrdd yn ysgafn yn ei grudd.

Ac mae hi'n cydio yn ei law fel rhywun sy'n boddi yn cydio mewn rhaff.

Ac mae o wedi ei glymu wrthi, yn angor iddi, ond mae hi'n ei dynnu i lawr. Mae o'n torri'n rhydd.

Mae hi'n gorwedd a'i grudd ar y bwrdd, ei dagrau'n gymysg â'r gwin a'r briwsion.

Daw o 'nôl i'r ystafell. Nid yw hi wedi symud. Mae o'n mynd i wylio'r teledu a dechrau fflicio drwy'r sianeli.

Yn y man, mae hi'n codi, yn rhoi ei dillad yn ôl amdani ac yn gwisgo'i chôt. Mae ei masgara wedi rhedeg a'i gwallt yn glymau. Mae staeniau'r gwin ar goler a blaen ei chrys. Mae hi'n petruso y tu ôl iddo. Mae hi'n estyn ei llaw i'w gyffwrdd ond yn oedi. Yn peidio. Mae'n camu o'r ystafell ac i'r lifft, a phlymio 'nôl i'r ddaear.

Mae o'n cynnau ei liniadur ac yn mynd trwy ei ddogfennau. Mae'n darllen, deall, dehongli, datrys.

Mae hi'n aros am fÿs yn oerni'r nos. Yn gadael heb dorri'n rhydd.

Tua'r gorllewin

'Gobitho bo' ti'n lico *lasagne*.'

'Odw i. Dwlu arno fe. Pam?'

''Na'r unig beth ma' 'ddi'n galler gwneud. Bob tro wy'n mynd â sboner gytre i gwrdd â hi, *lasagne* garantîd.'

'Ma' hi 'di ca'l digon o bractis 'te!'

Rhoddodd Sioned glowten chwareus i Geth ar ei glun. Roedd y bachan 'ma'n wahanol i'r lleill. Roedd e'n fwy ewn, ddim cweit mor rhwydd i'w ddarllen â'i chyn-gariadon – os galle rhywun eu galw'n gariadon. Hoffi'r helfa oedd Sioned yn fwy na'r berthynas. Y sylwi, y syllu, y powto, y fflyrto, y snogo . . . y bonc. Ac yna, ar ôl eu denu i'w gwe a drysu'u penne a'u pants nhw . . . pach! Bôrd, isie symud 'mlaen at y nesa. Ond hwn? Na, doedd hwn ddim am ddatgelu unrhyw beth iddi, ac roedd Sioned yn lico hynny. Roedd yn rhaid iddi drial yn galetach. 'Na pam o'dd hi'n dal i fod gyda fe ar ôl chwech wythnos. Nage bod hi 'di gweld lot ohono fe. Roedd e mor fishi. Ond roedd e wedi cytuno i ddod i gwrdd â'i mam (neu roi lifft gatre iddi, o leia) ac roedd hynny'n dweud rhywbeth, mae'n siŵr.

Penderfynodd Sioned adael ei llaw ar glun gyhyrog Geth a'i smwddo'n fwriadol synhwyrus yn ôl a 'mlaen.

'Watsha be ti'n neud neu bydda i ddim yn gwbod p'un yw'r *gearstick*,' medde Geth heb fentro troi ei ben i edrych arni. Gore oll, achos mewn eiliad o wendid, fe gochodd hithe.

'Wel wel, gymera i hwnna fel compliment.'

Daliodd Sioned i smwddo a gallai deimlo'r gewynnau'n tynhau wrth iddi ddilyn y rhychau rhwng y cyhyrau gyda'i bys. Gallai, gallai wneud yn llawer gwaeth na Geth. Llwyddodd yr haul i lifo drwy'r ffenest, er gwaetha'r ffaith eu bod nhw'n gyrru heibio Port Talbot, a syllodd Sioned ar siâp ei wyneb. Golygus. Uffernol o olygus heb fod yn bert. Gên dda, llygaid duon, jest â bod, a thrwyn a fu unwaith yn berffaith ond a amherffeithiwyd gan fachwr o Bontypridd. Do'dd e ddim yn dweud lot – ond dyna'n gwmws beth o'dd yn 'i wneud e MOR rhywiol – hynny a'r pecs, a'r breichie brown cryf . . . o, a'r coese . . . ac, wrth gwrs, y pen-ôl mwyaf bwytadwy ers 'Dafydd' Michelangelo. A'r arf cudd oedd wedi mynd â hi neithiwr i Wlad y blydi Rwla ac yn ôl. Felly pwy sydd angen trafod a sgwrsio pan ma' hwnna i gyd ar y fwydlen?

Doedd 'na byth rhyw hen labswchan na chwtsho na 'Fi'n caru ti, Sions' ar ôl y weithred chwaith. Dim. Jest codi, mynd am y stafell molchi, sorto'i hunan mas, 'nôl i'r gwely a gwylio'r teledu neu whare 'da'i Nintendo DS neu ddarllen pennod arall o'r *Journal for Orthodontics*. Doedd ganddi ddim lot o ddiddordeb mewn gwybod pam ei fod e wedi gwastraffu saith mlynedd gore 'i fywyd yn gwneud dannedd cam plant bach plaen yn syth, ond 'na fe. Pawb at y peth y bo. A chan fod 'na filoedd o gryts bach gŵffi ar hyd y lle, mae'n bur debyg y byddai, ryw ddiwrnod, yn *minted*.

Roedd hi wedi gofyn i Geth sawl gwaith a oedd e'n hapus gyda'i pherfformiad yn y gwely ac roedd yr ateb yn gadarnhaol bob tro. Jest ddim yn *gushing* iawn. Chênj neis. Roedd hi wedi diflasu ar y 'Ffyc mi, ti'n amêsin'!' gan y gwŷr bonheddig eraill oedd wedi archwilio'i chynfase. Na, roedd hi'n lico dirgelwch Geth. Ac oedd, roedd hyn yn beth da . . . on'd o'dd e? Bach yn rhwystredig withe. Roedd Sioned yn lico canmoliaeth – pwy sydd ddim? Ond, na, gwd, sialens. Tase fe'n chware i un o dimau'r rhanbarthau yn lle un o'r clybie llai, bydde fe'n berffaith! A tase fe ddim yn gymaint o swot, fe allai fod wedi canolbwyntio mwy ar ei rygbi. Wedi cyrraedd y brig, falle – wedi cael cap neu ddou, ac mi fydde Sioned wedi cyflawni ei huchelgais oes – shelffo un o garfan Cymru. Wrth gwrs, roedd hi wedi cysgu gyda phob un ohonyn nhw yn eu tro . . . yn ei dychymyg, gyda'g ychydig o help gan Batri Bil oedd yn byw yn y drâr wrth ei gwely. Ond hyd yma, yr agosaf oedd hi wedi bod at chwaraewr rhyngwladol oedd sefyll y tu ôl i Robin McBryde mewn ciw yn Tesco's Llanelli.

Ond tan y byddai'r ffantasi honno'n cael ei gwireddu, roedd hi wedi bachu Geth. A dyma fe, yn ei gyrru 'nôl 'West' ar yr M4 o Gaerdydd i gwrdd â Mami.

Ac yn y fargen, bydde Mami fach yn cael y fraint o hwpo llond bin-bag o olch yn y peiriant. A'u sychu. A'u smwddo. Wel, beth arall oedd 'da hi i wneud y dyddie hyn? Dim dyn, dim bywyd . . . dim rhyfedd.

* * *

Roedd yn rhaid i Helen gyfadde bod gwynt y coriander a'r garlleg yn fendigedig. Fe stwffiodd y cyfan rhwng dau ddarn o samwn, eu lapio mewn ffoil a'u dodi yn y ffwrn. 'Ffŵl prŵff,' wedodd Eirian wrthi ar ôl ei siarso i beidio â gwneud 'y blydi *lasagne* 'na 'to! Samwn, salad a tato newydd. Gwitho bob tro . . . A paid ti gadel i'r ferch 'na sy 'da ti siarad lawr arnot ti o fla'n y sboner diweddara 'ma cofia, neu bydda i lawr i roi llon' pen iddi!'

Roedd Eirian yn cael siarad fel 'na gyda Helen. Allai Helen ddim fod wedi cael ffrind gwell, a heblaw am Eirian, Duw a ŵyr beth fydde wedi digwydd iddi ar ôl i Rob fynd. Eirian oedd wedi eistedd gyda hi am orie ac orie wrth iddi fwrw'i bol a thrial gwneud synnwyr o'r ffaith fod Rob – ei Rob hi, cariad mawr ei bywyd – wedi ildio i Lisa. Damo, roedd hi'n dal yn casáu dweud ei henw hi. Eirian oedd wedi llusgo Helen o'r tŷ ar deithie cerdded iddi gael 'cliro'i phen', wedi gwneud iddi ymuno â chlwb cic-bocsio yn y Ganolfan Hamdden 'iti esgus 'i gico fe'n 'i fôls mor galed ag y gelli di', ac Eirian oedd wedi'i pherswadio i ddechre gwersi yoga fel modd o ymlacio. Ac os oedd un peth da wedi dod o ymadawiad Rob, roedd Helen ddwy stôn yn ysgafnach ac yn fwy ffit nag y buodd hi erioed. Ac Eirian a'i perswadiodd hi, ar ôl cwpwl o wydre o win mewn bar yn Abertawe un amser cinio, i dorri ei gwallt fel o'dd hi wedi bod eisie'i wneud ers blynydde ond ofn gwneud 'rhag ofan fydd Rob ddim yn lico fe'.

''Na fe groten, ti'n dishgwl bymtheg mlynedd yn ifancach. Bydd y dynon rown' ti fel blydi clêr rown' pot jam. 'Se fe ddim am Ieu a'r plant a'r ffaith bo' fi'n strêt, bydden i'n mynd amdanat ti'n hunan!' Roedd Eirian yn donic – wedi chwerthin a llefen gyda Helen ac yn gwybod yn gwmws beth i'w ddweud a phryd i'w ddweud e.

Ond doedd 'na neb arall wedi bod ym mywyd Helen ers i Rob gau'r drws ffrynt am y tro olaf beder blynedd 'nôl, yn llefen y glaw wrth daflu'i fagie i gefn y Volvo, yn fyddar i bledio Helen a phrotestiadau hysterical Sioned. 'Bitsh! Dishgwl be ti 'di neud nawr!' Roedd geiriau ei merch yn parhau i bigo llygaid Helen.

Ym marn Sioned, ar Helen roedd y bai fod Rob wedi gadael. Merch ei thad oedd Sioned wedi bod erioed, a doedd y ffaith ei fod e wedi bod yn ffwrcho Lisa am ddwy flynedd cyn cael y gyts i gyfadde hynny yn becso dim arni. Roedd Helen, yn ôl ei merch, yn boring, wedi gadel 'i hunan i fynd, yn wan . . . o ie, ac yn *pathetic*. Dim rhyfedd bod Dadi wedi mynd am ferch ifanc bert seis 10. Ond roedd Helen wedi maddau i Sioned gan ddisgwyl mai hi fydde'r cocyn hitio. Y rhai ry'ch chi'n eu caru fwyaf yw'r rhai 'chi'n eu brifo, medden nhw. Roedd hi wedi penderfynu peidio â llyncu'r abwyd pan fyddai Sioned yn ceisio'i chythruddo, achos doedd e jest ddim werth y drafferth. Sioned oedd ei merch hi ac er nad oedd hi bob amser yn ei lico hi, roedd hi'n ei charu hi.

Clywodd Helen sŵn car yn nesáu. Aeth am y drws ffrynt, ond oedodd a mynd 'nôl i'r gegin. Mae'n debyg ei bod wedi embaraso Sioned yn ofnadw y tro dwetha wrth ddod at y drws cyn i'w merch ddod mas o'r car.

'O't ti fel hen Jack Russell yn iapan a tsiaso'i gwt.' Neis.

* * *

'O'dd hwnna'n ffantastic, Mrs Harris.'

Jiw, o'dd hwn yn fachan ffein. Ac yn olygus ofnadw. Ond yn ffein. Yn wirioneddol ffein. Roedd ganddo sgwrs, diddordeb yn ei byd bach hi, y gallu i edrych i fyw llygad a rhoi ei sylw i gyd iddi. Ble yn y byd ga'th Sioned afael ar hwn? Roedd y sgwrs rhwng Helen a fe wedi bod mor rhwydd. Roedd e'n un o'r bobl 'na sy'n gwbod digon am bopeth i gadw pethe i lifo. *Sioned! Stopa ffidlan 'da'r blydi mobeil 'na a dishgwl ar be sy 'da ti, groten! 'So ti 'di gweud gair ers cwarter awr . . .*

'Bydd raid 'chi roi'r resipi i fi.'

'Dim ond os dechreui di 'ngalw i'n Helen a stopo gweud "chi". Ti'n neud fi dwmlo'n hen.'

'Ti *yn* hen,' medde Sioned heb godi'i phen o'r tecst roedd hi'n ei gyfansoddi i dyn a ŵyr pwy.

30

'Dyw 47 ddim yn hen, Sioned . . . jest bach yn hŷn na 46,' mentrodd Helen gyda gwên.

'Ie wel, ma' fe'n rhy hen i lot o bethe, on'd yw e?'

'Joiest ti'r samwn?' holodd Helen mewn ymgais i newid y pwnc a gwanhau'r gwenwyn yng ngeiriau ei merch.

'O'dd e'n ol-reit. Ti'n gwbod bo' fi'm yn cîn ar ffish.'

'Nag 'yt ti? O't ti wastod yn 'i fyta fe pan o't ti gatre.'

'Ie wel, o'dd Dad yn 'i gwcan e bryd 'ny, on'd o'dd e?'

Cododd Helen ei llygaid am eiliad i jeco nad oedd Geth yn anghyffyrddus gyda'r sgwrs. Ond roedd Geth yn edrych arni *hi*, yn syllu gyda chydymdeimlad rhyfedd yn ei lygaid dwfn. Am ennyd dyma'r ddau bâr o lygaid yn cloi. Fe basiodd y wên leiaf un ar draws gwefusau Geth a theimlodd Helen rhyw ddwrn yn tynhau yng ngwaelod ei bol.

'Fi'n mynd i bopan draw i weld Indeg. Ma' 'ddi newydd decsto.' Roedd geiriau Sioned fel seiren.

'Indeg? Yn Llandeilo? 'Bach yn bell, on'd yw e? Dim ond newydd gyrredd 'yt ti.'

'Dyw e ddim yn bell. Hanner awr. Ti'n dod, Geth?'

Beth ar y ddaear? Sobrodd Helen wrth iddi glywed llais yn ei phen yn dweud: *Dwed na, Geth. Dwed na. Aros fan hyn.*

'O's ots 'da ti bo' fi ddim? Sa i'n rîli yn y mŵd i fynd i dŷ rhywun 'wy'm yn nabod i 'rindo ar sgwrs am bobl erill 'wy'm yn nabod . . . ac . . . ym . . . ma'r Ospreys yn whare yn erbyn Clermont am dri, so, os yw hwnna'n iawn 'da chi . . . ti, Helen?' Lledodd yr awgrym o wên a welodd Helen ar ei wyneb yn gynharach.

'Odi, odi, wrth gwrs.' Baglodd Helen dros ei geiriau a theimlodd y gwrid yn codi o'i sodle. *Blydi 'el! Hot fflysh! 'Wy yn hen. Ma' Sioned yn iawn . . . na howld on, dim ond echdoe gwples i'n bechingalws . . . a galla i osod 'yn watch wrthyn nhw bob mis . . .*

'Ti'n siŵr?' meddai Sioned trwy ochr ei cheg wrth Geth, gan grychu ei thrwyn ac amneidio at ei mam. 'Bydda i ddim 'nôl tan sha saith. Halith hi ti benwan.'

'Odw. Odw 'wy'n siŵr. Cer di. Digon posib af fi i gysgu. 'Wy'n nacyrd. Fydden i'm yn gwmni da iawn i ti.'

'Wel, os nag 'yt ti'n gwmni da, byddi di mewn cwmni da 'da honna, os ti'n deall be sy 'da fi . . . Reit, 'wy off. Wela i chi wedyn.'

Ac wrth i olwynion y Golf sgrialu i ben y ffordd, teimlodd Helen y tensiwn yn mynd gyda'r teiars i Landeilo.

'Dished?'

'Grêt. Daf i i roi hand i chi . . . ti . . . sori . . . ti, ti, ti.'

Aeth Helen 'nôl i'r gegin dan chwerthin yn ysgafn. Clywodd Geth yn codi o'i sedd i'w dilyn.

'Odi 'ddi wastod fel'na 'da ti?'

'Ma' 'da Sioned, fel ti'n siŵr o fod yn gwbod, bersonolieth itha cryf . . . a 'wy'n credu bod y busnes rhynto i a'i thad wedi ca'l tipyn o effeth arni 'ddi.'

Pwysodd Geth ar y cwpwrdd reit ar bwys Helen.

'Ma'n rhaid bod e'n nyts.'

'O, hisht nawr. Ma' dwy ochr i bob stori, on'd o's e, a pwy a ŵyr, falle bo' fi . . . *Pam odw i'n siarad mor glou a pham bod 'yn galon i'n gwneud 'i gore i fosto mas o'n chest i . . .* Ym . . . falle bo' fe'n teimlo bod . . .'

Roedd Geth yn syllu arni eto ac roedd y wên 'na'n ôl. Doedd hyn, y . . . wel . . . y *peth* 'ma oedd yn digwydd fan hyn nawr ddim yn iawn . . . o'dd e?

'Nyts, 'wy'n gweud 'tho ti.'

Pwysodd Geth ei ben tuag at Helen gan blannu ei ddwy wefus lawn ar ei rhai hi. Yn dyner, yn gynnes, yn bwyllog, daliodd i'w chusanu gan gwpanu ei hwyneb yn ei ddwylo cyn rhedeg un llaw trwy'i gwallt. *Rong, rong, rong! Ma' hyn yn rong . . . ond ma' fe'n . . .*

Dechreuodd Helen ei gusanu'n ôl, yn awchus, yn angerddol, a theimlodd bethau'n cynhyrfu mewn llefydd roedd hi wedi anghofio eu bod nhw'n gweithio. Doedd hi ddim wedi cusanu neb ers Rob. *Shit! Odw i 'di siafo'n goese? Do, ddoe, ar ôl bod am run . . .*

Roedd 'na frys gwyllt ar y cusanu nawr ac roedd hi'n gallu clywed a theimlo anadliadau trwm Geth yn tanlinellu'r amheuaeth anghredadwy oedd ganddi bod y boi 'ma, falle, yn ei ffansïo hi.

Arweinodd Geth y ddau i'r cyntedd . . . *gwd, llai o ffenestri . . .* a sodro Helen yn erbyn y wal. Crwydrodd ei ddwylo lan ei siwmper nes glanio ar ei bronnau . . .

Pa fra? Ma'n o cê . . . yr un du padded *o Marks.*
Cododd y siwmper a'i thynnu dros ben Helen, yna
syllodd ar yr hyn a ddatgelodd.

'God! Ti mor bert. Ti mor ffit.'

FI'N bert? FI'N ffit? Dishgwl yn y drych, gwboi!

Tynnodd fronnau Helen o gwpanau ei bra a
phlannu ei geg dros un o'i thethi, gan rowlio'i dafod
drosti ac anwesu'r fron arall mor synhwyrus nes bod
Helen yn griddfan â phleser arallfydol.

Allai Helen ddim cofio sut gyrhaeddon nhw'r gwely,
ond dyna lle roedden nhw. Corff cyhyrog, esmwyth,
cadarn ar ei phen hi, yn mynd 'nôl a blaen, yn tendio
ar bob un o'i dyheadau, yn ei rhoi hi'n gyntaf, yn
awyddus i'w phlesio hi . . . y tu mewn iddi . . . yn
agos, agos . . . Sut yn y byd?

Dechreuodd y symudiadau gyflymu, ac erbyn hyn
doedd Helen ddim yn ymwybodol o unrhyw beth
arall. Roedd e'n dal i'w chusanu, ym mhob man . . . ei
gwefusau, ei gwddw, ei bronnau, yn is ac yn is, a
hithau'n rhedeg ei dwylo dros bob modfedd o'r
perffeithrwydd 'ma oedd yn CARU GYDA HI! Ac yna
dechreuodd y diwedd. Teimlodd ei hun yn dringo
mynydd o ecstasi ac roedd pob un cam yn fwy ac yn
fwy anhygoel. Roedd yntau hefyd yn dynn wrth ei
sodlau ac roedd griddfannau'r ddau yn llenwi'r
stafell . . . *Diolch i Dduw bod y tŷ 'ma'n* detatched . . .
Bron â chyrraedd . . . 'to . . . 'to . . . 'to . . . Teimlodd y
gollyngdod yn llenwi pob gwythïen, ac eiliadau'n
ddiweddarach rhoddodd Geth floedd gyntefig i

ddatgan ei fod e hefyd wedi concro'r Everest 'ma o angerdd.

'Ffyc mi . . . ti'n amêsin' . . . Sori, dylen i'm 'di rhegi,' medde Geth drwy'r anadlu cyflym a'r chwys chwant.

'Ffyc mi, sylwes i ddim,' medde Helen o gwmwl o heddwch oedd wedi disgyn o rywle'n ddirybudd.

Gorweddodd y ddau ym mreichiau'i gilydd am yr hyn a ymddangosai fel oes. Hi'n saff yn ei freichie a fe'n smwddio'i breichie hi gyda'i fysedd, gan gusanu ei thalcen o dro i dro. *Rong . . . ond mor iawn.* Hanner awr yn ddiweddarach, dwysaodd cusanau Geth unwaith eto ac fe ildiodd Helen yn llwyr iddo. Roedd hi'n fwy mentrus y tro 'ma ac yntau'n amlwg yn gwerthfawrogi pob eiliad mewn ffordd nad oedd Helen wedi'i brofi erioed o'r blaen . . .

*   *   *

Mae'r M4 wastod yn hirach o lawer ar y ffordd 'nôl, a glaw wastod yn disgyn wrth baso Port Talbot.

'Shitbags!' gwaeddodd Sioned, ''Wy 'di anghofio'r bastard golch.'

Trodd Geth ei ben ryw ychydig oddi wrth Sioned a gwenu.

'Paid â becso,' cysurodd Geth. ''Wy off pnawn fory . . . af i'n ôl i 'ôl e os ti'n moyn.'

'A siarad bolocs 'da *honna* 'to?'

'Wir, dyw e ddim trafferth.'

'Wel wel,' meddyliodd Sioned, 'Os yw e'n fodlon

gwneud hwnna i fi, ma' 'da fi fe'n gwmws lle 'wy'n
moyn e . . . Risylt!'

Hen aelwyd

Hen dŷ sydd ganddyn nhw, wrth gwrs, wedi'i addurno'n chwaethus fel rhywbeth ar *Pedair* blydi *Wal*. Lloriau pren, hen ddodrefn, trawstiau moel, celfyddyd fodern – neu efallai mai lluniau'r plant ydyn nhw. Go brin hefyd, gan fod y rhain yn gynfasau mawr olew, drud yr olwg.

'Lecio'r llunia,' medda fi wrth Siôn ar ôl sefyll ar flaenau fy nhraed i daro cusan ar ei foch, a chyffyrddiad ei wefusau yn dal i losgi ar fy moch i. Yn trio swnio'n ffwrdd-â-hi ac yn osgoi dal ei lygad.

'Gwenno, ym . . . llunia Gwenno ydyn nhw . . . Hi beintiodd nhw, dwi'n trio'i ddeud . . . ' medda Siôn, gan faglu dros ei eiriau yn y ffordd chwithig, hoffus yna sydd ganddo fo weithiau. Ac er fy mod i'n gwybod nad ydi o mor chwithig nac mor hoffus â'i olwg, mae rhywbeth yn stwyrian tu mewn i mi 'run fath.

'Gwenno? Wyddwn i ddim ei bod hi'n artist?'

'Wyddwn inne ddim chwaith.' Mae'n gwenu ei wên ddrygionus, ond dwi'n gwneud fy ngorau i'w hanwybyddu.

'Na, chwarae teg. Maen nhw'n . . . drawiadol iawn.'

'Diplomatig iawn, Ms Lewis.'

'Taw, 'nei di,' gwenaf yn ôl arno gan daro'i fraich yn

ysgafn, a hyd yn oed y cyffyrddiad bychan hwnnw yn gyrru pinnau mân o gyffro trwy fy nghorff. 'Mae 'na rywbeth amdanyn nhw . . . hwn yn enwedig . . . '

Mae'r cynfas o fy mlaen yn ddu i gyd ac eithrio'r rhuthr o liw gwyrddlas sy'n rhedeg i lawr trwy'i ganol. Syml, ond effeithiol.

'Rhed afon trwyddo.'

'Be?'

'Rhed Afon Trwyddo. Dyna enw'r llun.'

'Fel y ffilm?'

'Y?'

'Ti'n gwbod. *A River Runs Through It*, efo Brad Pitt.'

'A Robert Redford.'

'Ydi o ynddi hefyd?'

'Yn ogystal â bod yn gyfarwyddwr a chynhyrchydd. Ti'm yn cofio?'

'O, ydi siŵr.' Pam mae o'n cilwenu arna i fel'na? 'Dwi'n cofio rŵan.'

Ac yn sydyn, dwi'n cofio llawer mwy na hynny hefyd. Dwi'n cofio'r ddau ohonom yn mynd i weld y ffilm efo'n gilydd, yn ôl yn y nawdegau cynnar. Mae'n siŵr ei fod o'n meddwl mai dyna pam ddeudais i ei fod o'n gwybod pa ffilm oedd gen i mewn golwg ac . . . O, na! Gobeithio nad yn ystod y ffilm honno yr agorais ei falog a . . .

Mae drws yn clepio ar agor yn rhywle a sŵn plant yn rhedeg a gweiddi yn chwalu fy meddyliau.

'Dad! Dad! Yli be 'nes i heddiw . . . '

'Dad! Dad! Ges i seren aur gan Miss Owens am . . . '

Mae dau berson bach yn sgrialu i stop wrth fy ngweld i, gan edrych i fyny mewn chwilfrydedd drwg-dybus ar y ddynes ddieithr o'u blaen. Syllaf innau'n ôl arnyn nhw am rai eiliadau, yn trio penderfynu i bwy maen nhw'n debyg.

'Mae'r fechan 'run ffunud â chdi.'

'Rhad arni.'

Rydw i ar fin cytuno – tydi *features* sy'n 'ddeniadol ar ddyn ddim o angenrheidrwydd yn gweddu i ferch fach – ond yn brathu fy nhafod mewn pryd. Mae gan y fechan deimladau, wedi'r cyfan, ac mae'n siŵr fod Siôn yn meddwl mai hi ydi'r hogan fach ddela ar wyneb daear.

'Deio, Elin. Dyma Ffion,' mae Siôn yn ein cyflwyno.

'Helô Deio,' meddaf wrth Elin, cyn troi at Deio a dweud, 'Helô Elin.'

Tydyn nhw ddim yn gwerthfawrogi'r jôc, fodd bynnag, dim ond ġwgu arna i fel petawn i'n hollol hurt.

'Does ganddyn nhw mo'r un synnwyr digrifwch gwirion â ti a fi,' medd Siôn gan chwerthin. 'Fel rhai o'r plant ar ein rhaglen ni erstalwm, ti'n cofio? Ni'n hollol blentynnaidd a nhw fel oedolion seriws!'

A dyna fo wedi sôn am y gorffennol eto, ac mae yna rywbeth yn nhôn ei lais sy'n peri i mi droi fy mhen ac edrych i fyw ei lygaid am y tro cynta ers i mi gyrraedd. Llygaid glas, llawn direidi ar yr olwg gynta, ond wrth i mi ddal i syllu maen nhw'n fy nhynnu'n ôl i olygfa o'n gorffennol pan oedden nhw'n llawn dyhead. Y ddau ohonom mor agos ag y gallai dau berson fod, ein cyrff ynghlwm yng nghefn cyfyng y car – fi'n eistedd arno ac yntau'n ddwfn tu mewn i mi, yn syllu'n ddwys i lygaid ein gilydd nes iddynt bylu mewn perlewyg wrth i ni'n dau . . .

'Ffion!'

Dwi'n neidio a throi fy mhen fel chwip i gyfeiriad y llais sydd newydd gyfarth fy enw.

'Gwenno! Sut wyt ti erstalwm?'

Ai panig sydd yn ei llygaid? Anodd dweud, gan ei bod hi wastad yn edrych dipyn bach fel cwningen wedi'i dal yng ngolau car.

Rydan ni'n cofleidio fel hen ffrindiau. A dyna ydan ni, wrth gwrs, er na fuon ni erioed yn ffrindiau agos iawn. Un o'r *swots* bach da oedd Gwenno, tra oeddwn i ar gyrion trwbwl trwy'r adeg, ac eto'n ddigon call neu gyfrwys i beidio â chael fy arwain ar gyfeiliorn yn llwyr. Yn gallach nag oeddwn i pan gefais fy maglu gan swyn Siôn, beth bynnag . . .

'Jyst edmygu dy lunia di oeddwn i,' medda fi. *Cyn i mi fod yn hel atgofion am ffwcio dy ŵr di, hynny ydi . . .* 'Wyt ti wedi'u harddangos nhw o gwbwl?'

'Do, yn Plas Glyn-y-Weddw ha dwytha. Roedd 'na eitem ar *Sioe Gelf* hefyd.'

'Fethes i honno ma raid,' dwi'n mwmial yn gloff.

'Ac mae 'na ffrind i ffrind i ni sy'n gweithio mewn oriel yn Llundan wedi dangos diddordeb, on'd oes, Siôn?'

Mi fasai'r 'on'd oes, Siôn?' yna'n codi pwys arna i petai o ddim mor bathetig. Mae'r ffordd lywaeth mae hi'n edrych arno yn dangos pwy sydd â'r llaw uchaf yn y berthynas yma, a dwi'n siŵr erbyn hyn nad y fi sy'n dychmygu'r sglein o banig sydd yn ei llygaid. Wela i ddim bai arni. Felly faswn innau petawn i'n briod â Siôn; faswn i ddim yn ei drystio fo'n ddim pellach nag y medrwn ei luchio fo.

Ydi hi'n gwybod amdanan ni, tybed? Yn gwybod am ein haffêr ni, dros bymtheng mlynedd yn ôl bellach? Ac os ydi hi, pam ddiawl mae hi'n ddigon o lo i ganiatáu iddo gydweithio efo fi eto? Mae hi'n edrych yn dda, chwarae teg, o ystyried mor ddiolwg oedd hi yn yr ysgol. Ond, wrth gwrs, mae toriad gwallt a dillad drud yn gwneud byd o wahaniaeth.

Mae Siôn yn edrych yn dda hefyd – wedi britho ond heb foeli na thwchu gormod, a'r un olwg yn ei lygaid sy'n gwńeud i mi fod eisiau disgyn ar fy ngliniau a'i sugno fo'n llipa. Fel y gwnes i un tro mewn ciwbicl yn nhoiledau'r merched yng Nghlwb Ifor Bach, lle roedden ni wedi mynd i ffroeni lein arall o gocên. Er bod yna giw tu allan, ddaru hynny mo'n hatal ni rhag ildio i'n nwydau wrth i mi ddatod botymau ei Levi's a . . .

'Felly! Mae'r hen bartneriaeth gomedi ar fin cael ei hatgyfodi!' medd Gwenno'n rhy sionc o lawer, bron fel petai hi wedi torri ar draws fy meddyliau'n fwriadol.

'Elis Fitzlewis a Lewis Fitzelis – *the perfect fit*, yndê Ffi?!'

Petai gen i rywbeth yn fy ngheg mi faswn i wedi tagu arno. Be ddiawl sydd arno yn dweud y fath beth pryfoclyd, yn enwedig os ydi Gwenno'n gwybod amdanom ni?

'Os ti'n deud, Siôn,' atebaf yn ysgafn gan rowlio fy llygaid ar Gwenno.

'Panad! A' i i neud panad!' Yr ateb i bob argyfwng. 'Be gym'ri di Ffion? Te neu goffi?'

'Ga i ddiod o ddŵr, plis?'

'O, twyt ti'n dda? Rhan o dy *beauty regime* di, ia?' Ai bod yn sarcastig mae hi, neu'n cydnabod fy mod i'n dal i edrych yn anhygoel?

'Dwi jyst ddim yn un am banad.'

Mae hi'n troi am y gegin â'r plant wrth ei chwt yn swnian am bop a bisged.

'Gewch chi lefrith a banana. 'Dach chi'm isio difetha'ch te,' medd Gwenno, yn ddigon uchel i mi gael gwybod nad ydi hi'n un o'r mamau diwerth hynny sy'n bwydo rwtsh i'w plant. 'Ti am aros i gael bwyd efo ni, Ffion? Er, fyddan ni ddim yn byta tan tua wyth fel arfer, ar ôl i'r plant fynd i'w gwlâu.'

'Ym . . .' Edrychaf yn ymbilgar ar Siôn. Dwi ddim yn meddwl y medra i ddiodde llawer mwy o'r *charade* triongl serch ynfyd yma. 'Ro'n i wedi gobeithio cael trafod y gyfres heno, cyn y cyfarfod bore fory.'

'Fedran ni neud hynny'n fa'ma. Yn y stydi.'

Caf gip ohono, mewn oes arall, yn fy mhlygu dros ddesg, yn codi fy sgert ac yn tynnu fy nics i lawr cyn hyrddio'i hun i mewn i mi, a'i fysedd rhwng fy nannedd fel genfa ceffyl rhag ofn i mi floeddio. Swyddfa'r cynhyrchydd un amser cinio, a'r blys byrbwyll arferol wedi dod drostan ni, a'r peryg o gael ein dal yn ychwanegu at y wefr. Ond tydi'r syniad o wneud hynny o dan yr unto â Gwenno a'r plant ddim yn apelio. Neu efallai nad hynny sydd ganddo mewn golwg o gwbl.

'Ddeudis i wrth Wil ella y basan ni'n ei gwarfod o yn y Black Boy nes 'mlaen.' Y cynhyrchydd ydi Wil. 'Fysa chdi'n medru cael tacsi adra – neu ddreifio, wrth gwrs.'

'Ocê. Jyst meddwl o'n i y baset ti'n lecio cael sgwrs efo Gwenno. Sôn am yr hen ddyddie a ballu . . .'

Yr hen ddyddiau? Be, pan oeddwn i'n cnychu'i chariad hi bob cyfle gawn i, heb deimlo nemor ddim euogrwydd? Achos y gwir amdani oedd fy mod i'n gwybod o'r cychwyn ei bod hi'n byw efo Siôn. Dyna un o'r pethau cynta ddeudodd o wrtha i ar ôl i ni gyfarfod am y tro cynta: 'Roeddet ti yn yr ysgol efo 'nghariad i – Gwenno Pyrs?' A finnau'n meddwl 'am gwpwl anghymarus' cyn ateb efo hynny o frwdfrydedd ag y medrwn ei fwstro: 'O ia, Gwenno. Hogan neis, Gwenno.'

Neis. Roedd yna adeg pan y byddai'n well gen i gael fy saethu na chael fy nisgrifio fel rhywun 'neis'. Ond dros y blynyddoedd dwi wedi dod i sylweddoli fod 'neis' yn nodwedd *under-rated* iawn. A neis go iawn dwi'n ei feddwl rŵan, nid rhyw neisi-neisrwydd ffals, dauwynebog. Mae gan bobol neis go iawn fwy o glewt nag y mae rhywun yn ei feddwl. Pobol fel Gwenno, sydd wedi llwyddo i ddal ei gafael yn Siôn am yr holl flynyddoedd. Dwn i ddim a ydi o wedi bod yn anffyddlon iddi ers i'n ffling gwyllt ni ddod i ben – synnwn i damaid – ond efo hi y mae o o hyd.

Rydw i, ar y llaw arall, yn ddigon hapus ar fy mhen fy hun. Mae gen i swydd fras yn y cyfryngau, tŷ cyfryngaidd yn Nhreganna, un ysgariad i'm henw a dim plant, diolch byth. Nid fy mod i'n drwglecio plant fel y cyfryw, jyst nad oeddwn i erioed eisiau rhai fy hun.

'Fysa'n well gen i drafod . . . ' Rydw i ar fin dweud y basai'n well gen i drafod yr hen ddyddiau efo fo, ond yn rhy llwfr i roi fy nghardiau ar y bwrdd. 'Fysa'n well gen i drafod busnas heno.'

'Cîn, dwyt?' Mae'n gwenu'i wên ddioglyd, rywiol, fel petai'n gwybod beth sydd gen i ar fy meddwl go iawn. 'Gwranda Gwenno!' mae'n galw trwodd i'r gegin. 'Mae Ffi newydd sôn ein bod ni'n cyfarfod Wil yn y Black Boy heno – cyfle i ni drafod 'chydig o syniade cyn y cyfarfod go iawn bore fory. Gawn ni fwyd yn fan'no, yli, a hwyrach 'na i aros yn nhŷ Wil heno os eith hi'n hwyr . . . '

Mae fy nghalon i'n cyflymu – efo pwy mae o'n bwriadu aros go iawn?

'O – ocê.' Daw Gwenno i sefyll yn nrws y gegin â'i gwên yn llinyn tyn. 'Cofia fi at Wil. Be am i ni 'i wadd o a Mari draw am swper un noson? Nos Sadwrn nesa, ella?'

Digon hawdd gweld be mae hi'n ei wneud: rhoi stamp ei hawdurdod fel gwraig Siôn, ac yn un o gwpwl sy'n ffrindiau efo cyplau eraill. Cyplau dosbarth canol sy'n ciniawa yn nhai chwaethus ei gilydd. Fel y cinio hwnnw yn nhŷ'r cynhyrchydd (yr hwn y gwnaethon ni ddifwyno'i ddesg), a'r rhai ohonom nad oedd yn un o gwpwl wedi'n rhoi i eistedd gyferbyn â rhyw adyn sengl arall. Roedd y bardd ifanc Saesneg gyferbyn â mi yn bishyn digon dymunol, a chefais bleser mawr yn fflyrtio a chwerthin efo fo yng ngŵydd Siôn, a oedd yn amlwg yn corddi o genfigen er bod Gwenno yno efo fo.

Pan es i allan i'r ardd gefn am smôc rhwng cyrsiau, daeth Siôn ar fy ôl i fel siot, gan gydio'n ffyrnig yn fy mraich cyn i mi gael cyfle i danio fy sigarét.

'Be ffwc ti'n neud?' gofynnodd y ddau ohonom ar draws ein gilydd.

'Dwi'n jelys,' meddai, gan fy ngwthio yn erbyn y wal, â phoen blysig yn ei lygaid.

'Jelys o be?' gofynnais yn ffugddiniwed, yn falch o weld fy mod i'n medru ennyn y fath deimlad ynddo.

'Ohonat ti a'r *pretty boy* Sais 'na, sy'n amlwg yn ffansïo'i jansys efo ti.'

'Pam lai?' gofynnais, a rhyw ddiawledigrwydd yn cydio ynof. 'Dwi'n ddynes rydd. Chdi sy yma efo dy . . . bartnar.' Ynganais y gair olaf efo mwy o wenwyn nag yr oeddwn wedi'i fwriadu. 'Ti'n mynd adra efo *hi* heno. Ga i fynd adra efo pwy bynnag dwi isio . . . '

Dwn i ddim beth fyddai wedi digwydd pe na bai'r cynhyrchydd wedi rhoi 'i ben heibio drws y gegin yr eiliad honno i ddweud fod y pwdin ar y bwrdd. Beryg y basai Siôn wedi fy nhreisio yn y fan a'r lle yn ôl yr olwg wyllt yn ei lygaid. Yn sicr, roedd hynny yn drobwynt yn ein perthynas. Yn ddechrau'r diwedd, i bob pwrpas.

Mi es i'n ôl i westy'r Sais y noson honno, yn daer i lacio'r gafael oedd gan Siôn arna i. Ond pan ddechreuodd hwnnw fy nghusanu yn betrus ac o-mor-Seisnig o gwrtais, sylweddolais fy nghamgymeriad.

'I can't do this,' ymddiheurais, gan gydio yn fy nghôt yn barod i adael.

'I thought not,' meddai yntau. 'It's that chap at the dinner party, isn't it?'

'Is it that obvious?' meddwn â chwerthiniad bach trist. 'Sorry, I didn't mean to use you or anything. I think you're terribly nice . . . '

Cododd ei law i atal y geiriau nad oes neb eisiau eu clywed. Ond roedd o'n wir, mi oedd o'n eithriadol o neis a golygus a bonheddig – mor fonheddig fel y mynnodd ffonio am dacsi a dod i lawr i'r lobi efo fi i ddisgwyl amdano. Y math o ddyn y byddai unrhyw ferch gall yn gosod ei bryd arno. Ond doeddwn i ddim yn gall, yn amlwg, a'r noson honno mi es i adre i'm gwely unig i dreulio noson ddi-gwsg nes i Siôn ymddangos ar garreg fy nrws bore drannoeth â golwg dyn wedi drysu arno.

Roedd ein caru y bore hwnnw – mewn gwely, am newid – yn fwy confensiynol na'n caru blaenorol, heb yr un elfen o berygl ond efo llawer mwy o dynerwch, a'r tynerwch hwnnw'n beryglus o debyg i gariad.

Roedd dagrau'n powlio i lawr wyneb Siôn wrth i ni ddŵad, yna syrthiodd y ddau ohonom i gysgu ym mreichiau'n gilydd, ag yntau'n dal tu mewn i mi. Mae'n debyg mai dyna'r profiad mwya erotig i mi 'i gael yn fy myw.

Ond yn sgil y tynerwch hwnnw, daeth chwithdod. Ac er i ni drio ailgydio yn yr hen garu chwil, diofal – a llwyddo ambell waith – roedd y niwed wedi'i wneud. Effeithiwyd ar ein partneriaeth waith hefyd, fel y gwnaeth y cynhyrchydd yn berffaith blaen pan ddywedodd wrthym na fyddai cyfres arall yn cael ei chomisiynu.

'Mae'r *hard-core edge* wedi mynd,' meddai, gan wgu arnom dros ei sbectol, fel petai'n gwybod yn iawn beth oedd wedi bod yn mynd ymlaen rhyngom ni (ac mae'n debyg ei fod o). 'Ry'ch chi wedi mynd yn llawer rhy *soft*.'

Ond yn ddiweddar, yn sgil y nostaljia am raglenni retro, mae S4C yn awyddus i gael Elis a Lewis 'nôl at ei gilydd eto. Ac wrth i ran ohona i amau doethineb hynny, y gwir amdani ydi fy mod i wedi bod ar bigau ers i Siôn ffonio i awgrymu'r aduniad. Ac ers i mi 'i weld o heddiw, mae'r hen ysfa am berygl a rhyw a byw ar y dibyn wedi dychwelyd, gan wneud i mi sylweddoli mor ddof a diflas y mae fy mywyd i wedi bod yn y cyfamser.

Roeddwn i wedi bod ar bigau ers i ni gyrraedd y Black Boy ychydig cyn saith, a phrin y medrwn eistedd yn llonydd, cymaint yr oeddwn i'n ysu amdano. Dadgroesais fy nghoesau a gadael i 'mhen-glin gyffwrdd yn ysgafn â phen-glin Siôn, gan gymryd arnaf nad oedden ni'n cyffwrdd o gwbl. Ni chymerodd yntau arno chwaith, ac wrth i'r noson fynd rhagddi roedd ein coesau wedi'u gwasgu'n dynnach at ei gilydd, hyd yn oed pan fyddai un ohonom wedi dod yn ôl o'r bar neu'r lle chwech.

Gwibiodd y noson heibio mewn bwrlwm hwyliog o yfed a sgwrsio a chwerthin a fflyrtio, a chwmni Wil yn nes ymlaen yn ychwanegu at yr hwyl yn hytrach na tharfu arno, o bosib am na fydden ni yno o gwbl oni bai amdano fo. Yna, am hanner awr wedi un ar ddeg, cododd Wil a dweud ei fod am ei throi hi.

'Croeso i ti grashio mas yn tŷ ni os ti'n moyn,' meddai wrth Siôn, a finnau'n panicio rhag ofn i Siôn gytuno, a'm gadael.

'Ym, dwi'm yn siŵr . . . Be ti isio neud rŵan, Ffi? Aros fa'ma? Mynd 'mlaen i r'wle arall? Neu ti am ei throi hi am y cae sgwâr?'

'Dwi'm yn barod am fy ngwely rŵan!' *Oni bai dy fod ti'n dod efo fi, wrth gwrs.* 'Be amdanach chdi?'

'Blydi hel, nadw! Dwi heb gael sesh yn dre 'ma erstalwm.'

''Na i adel allwedd dan y potyn tu fas i'r drws, rhag ofan,' meddai Wil. 'Fel arall, wela i chi bore fory marcie un ar ddeg. Sai'n credu fydd llawer o siâp arnoch chi cyn 'ny!'

'Peint arall?' meddai Siôn ar ôl i Wil adael.

Nodiais innau, er fy mod i wedi cael hen ddigon i'w yfed, yn enwedig a ninnau ond wedi bwyta un pitsa rhyngom. Ond fel mae'n digwydd, roedd y bar wedi cau beth bynnag, a'r staff yn gwrthod ein syrfio er fy mod i'n aros yno.

'*Typical* Black Boy,' cwynodd Siôn. 'Ti isio mynd 'mlaen i'r Anglesey 'te?'

'Ym . . . ' oedais, yn trio meddwl am ffordd o'i gael i fyny i'r llofft heb i mi orfod gofyn iddo ar ei ben. Yna, yn fy nerfusrwydd, tarodd fy llaw yn erbyn y gwydr o fy mlaen, gan dywallt chwarter peint o chwerw dros lin Siôn.

'*Shit*, sori!' meddwn, gan dynnu hances o fy mag a mynd ati i ddabio'i drowsus.

'Paid!' siarsiodd yntau.

'Pam?' holais yn syn, cyn teimlo'r ateb yn chwyddo a sboncio o dan fy llaw.

'Dyna pam,' meddai'n floesg.

'Well i chdi ddŵad fyny grisia i dynnu'r trowsus gwlyb 'na, dwi'n meddwl,' meddwn, gan dynnu fy llaw oddi ar ei godiad a syllu i fyw ei lygaid.

Dilynodd fi i fyny'r grisiau anwastad a thrwy'r ddrysfa o goridorau i fy stafell, a minnau'n brysio rhag ofn iddo gael cyfle i newid ei feddwl. Nid ei fod yn debygol o wneud hynny yn ei gyflwr presennol.

'Un deg tri. Lwcus i rai,' meddai gan gyfeirio at y rhif ar y drws, a gwenu'r wên honno sy'n sigo fy mhenglniau bob tro.

A dyna wnes i, yr eiliad i mi gau'r drws a rhoi'r

golau ymlaen: penlinio ar y carped treuliedig, agor ei falog, halio'i drowsus i lawr a'i sugno'n farus nes ei fod yn griddfan mewn gwewyr a'i bengliniau'n gwegian. Yna estynnais gondom o'm bag a'i rowlio amdano.

Daeth i mewn i mi ar ein sefyll, gan fy nghodi a'm gosod arno, a'm coesau wedi'u lapio am ei gefn. Roedd y gwahaniaeth maint rhyngom wastad wedi hwyluso giamocs rhywiol o'r fath, meddyliais, cyn i'r hen orfoledd meddwol chwalu popeth arall o fy meddwl.

'Wyt ti'n arfer cario condoms o gwmpas efo ti?' gofynnodd wrth i ni gael ein gwynt atom wedyn. Doedden ni byth yn eu defnyddio nhw erstalwm â minnau ar y bilsen, oedd yn gyfleus iawn i Siôn, wrth gwrs.

'Nac'dw. Ond ro'n i'n byw mewn gobaith heno.'

'Geneth ddrwg,' gwenodd.

Trodd y gwenu'n chwerthin wrth i ni ddiosg gweddill ein dillad a gorwedd ar y gwely anghyffordus efo'r sbrings yn procio'n cefnau. Ond buan y gwnaethon ni ddifrifoli drachefn wrth i chwant ein hysu ni eto. Ein cyrff yn teimlo mor gyfarwydd er gwaetha'r holl flynyddoedd, yn gwybod yn reddfol sut i gyffroi a boddhau'n gilydd.

Yna, tua dau o'r gloch y bore, edrychodd Siôn ar ei wats dan ochneidio a dweud y dylai adael.

'Be, ti ddim yn mynd adra'r adeg yma o'r nos?' meddwn, heb fedru celu fy siom.

'Na, a' i i dŷ Wil.'

'Ond be di'r pwynt?'

'Y pwynt ydi y bydd Gwenno'n siŵr o holi lle 'nes i aros, ac yn siŵr o sôn wrth Wil neu Mari am y peth pan welith hi nhw. Dwi'm isio'u rhoi nhw mewn sefyllfa annifyr.'

Blydi Gwenno, meddyliais, er bod llais bach synhwyrol tu mewn i mi yn dweud mai hi oedd yr un oedd yn cael cam mewn gwirionedd.

'Wela i di mewn 'chydig orie, beth bynnag,' meddai Siôn, gan fy nghusanu'n dyner-nwydus ar fy ngwefusau cyn gadael. 'Edrych 'mlaen yn barod . . . '

Chwarter i dri o'r gloch y bore a dwi'n dal yn effro fel y gog, yn gorwedd ar y gwely anghyfforddus yn syllu ar y nenfwd. Fy nghorff wedi'i wefreiddio ac yn teimlo'n wirioneddol fyw am y tro cynta ers hydoedd.

Ond daw cwsg yn raddol, a minnau'n araf lithro gyda llif gwyrddlas yr afon yn llun Gwenno. Yna'n sydyn, mae fy nghoesau'n sgrialu'n wyllt wrth i mi sylweddoli fy mod i ar ben rhaeadr frawychus o uchel, a düwch y cefndir fel hafn yn barod i'm traflyncu. Nid bod gen i ddim byd i'w golli (yn wahanol i Siôn), ceisiaf ddarbwyllo fy hun cyn i mi syrthio. Dim ond procio hen obsesiwn, agor hen glwyfau a chynnau tân ar hen aelwyd.

O na byddai'n haf o hyd

'Gobeithio byddi di'n perfformio cystal â hynna yn yr awyr,' gwenodd Gwen ar ei chymar. 'Rwyt ti'n cyrraedd yr uchelfanna hyd yn oed pan mae dy draed di ar y ddaear!'

Trodd Dylan i'w hwynebu, a phlannodd gusan sydyn ar ei gwefusau. Roedd hi'n gorwedd ar y gwely gyda'i choesau a'i breichiau ar led, wedi llwyr ymlâdd ar ôl orig o garu chwyslyd. Roedd ganddi gorff lluniaidd o'i hoed, meddyliodd Dylan, ar wahân i'r braster oedd yn dechrau ffurfio o gwmpas ei gwasg tri deg oed. Roedd ei bronnau'n ddigon twt hefyd, er yr hoffai ef iddynt fod yn fwy o lond llaw, wrth gwrs.

Er bod Gwen wedi rheoli'r berthynas o'r dechrau ac yn gallu bod yn orfeddiannol ohono ar adegau, hoffai Dylan ei didwylledd a'i naïfrwydd, ac roedd mor ofalus ohono – yn union fel ei fam. Byddai hithau'n gwneud mam ragorol hefyd. Ond, ai i'w blant ef fyddai hynny? Doedd Dylan ddim yn siŵr, oherwydd nid Gwen oedd ar ei feddwl bob amser . . .

'Panad?' torrodd Gwen ar ei feddyliau, a chododd ar ei eistedd i weld pa raglenni rhad oedd gan y teledu i'w cynnig. Pnawn Sul diog oedd o'u blaenau unwaith eto, a byddai'r ddau wedi adennill eu nerth cyn wynebu wythnos arall o waith diddiolch.

'Edrych ymlaen at y penwythnos?' holodd Gwen yn ddireidus wrth ddychwelyd gyda'r te yn stemio a'r tost yn drwch o hoff jam cartre Dylan.

'Wrth gwrs.'

'Mi fydda i wedi ffeindio rhywbeth ar y we i diclo dy ffansi di cyn hynny,' cellweiriodd hithau, gan ddechrau byseddu blew ei frest i geisio'i fesmereiddio unwaith eto.

Byth ers ei chyfarfod wrth chwarae bowlio deg ddwy flynedd yn ôl, roedd Dylan wedi gwneud popeth fel y dewisai Gwen. Hi oedd y bòs. Ond roedd Dylan yn fregus ar y pryd, yn ceisio ymdopi gyda cholli ei gyn-gariad a ddiflannodd i borfeydd brasach.

Ei gartref ef oedd eu man cyfarfod ar y dechrau. Ond, ar ôl blwyddyn, penderfynodd Gwen y byddai'n well iddynt rentu fflat i gael preifatrwydd. Doedd hi ddim am i'w fam wrando ar bopeth a ddigwyddai y tu ôl i waliau tamp y Mans!

Ond buan y darganfu Dylan mai prin oedd y diddordebau roedden nhw'n eu rhannu. Y Saethydd oedd ei arwydd ef o ran y Sidydd, a olygai ei fod yn berson gyda phwerau cryfion ac awydd i lwyddo yn ei waith, a'r Forwyn oedd Gwen. Ond gwyddai yntau ei bod wedi cael ei 'thorri i mewn' yn ifanc iawn. Er ei bod yn ferch henffasiwn mewn sawl ffordd – a mymryn yn blaen – bu'n gocwyllt ers iddi ddechrau perthynas gydag athro dwywaith ei hoed tra oedd hi'n ddisgybl chweched dosbarth. Ers hynny, bu i mewn ac allan o berthnasau, fel y bu'r perthnasau hynny i mewn ac allan ohoni hithau. Ond roedd hi'n awr wedi rhoi ei holl fryd ar hud a harddwch y meddyg, ac roedd yntau'n fwy na bodlon arbrofi, ymchwilio ac archwilio ar y dechrau hefyd. Fe brociodd frest Gwen sawl tro gyda'i stethosgop, a gwthiodd fwy na thermomedr i mewn i'w cheg. Archwiliodd y mannau mwyaf tendar o'i chorff, ac irodd ei gwaelodion gyda phob mathau o elïau i gael y gorau allan ohoni, ac i mewn iddi.

Ond bellach, doedd o ddim mor siŵr o'i deimladau. Gwyddai fod Gwen yn ysu iddo saethu mwy na blancs ati, ond diolch byth, golygai oriau gwaith y ddau na welent ei gilydd yn rhy aml. Efallai y byddai cyfnod i ffwrdd o'r gwaith a'r cartref yn gwneud byd o les i'r ddau.

'Dwi'n edrych ymlaen at gael gwireddu breuddwyd oes,' sibrydodd Gwen yn ei glust dde. 'Gobeithio y byddi di, fel yr awyren – ar i fyny!' Gwyddai Dylan yn iawn beth oedd 'breuddwyd' Gwen, a gobeithiai na fyddai'n troi'n hunllef iddo.

Unwaith yn unig y bu'r ddau ar wyliau tramor gyda'i gilydd. Ond cytunwyd i fynd am benwythnos i Baris am ddau reswm. Byddai cyfnod i ffwrdd o sŵn parablu'r disgyblion yn gwneud lles i Miss Gwen Roberts, a châi'r Dr Dylan Hughes anghofio am broblemau ei gleifion – a'i rai yntau – am ychydig, o leiaf.

Nod Gwen wrth fynd ar y gwyliau oedd cael cnychiad da yn nhoiled yr awyren, a gwneud y *Mile High* y clywodd hi cymaint o sôn amdano. Fedrai hi feddwl am neb gwell na'i darpar ddyweddi i gyflawni'r drosedd, a gobeithiai y byddai yntau o'r un meddylfryd. Ond, ar ôl dwy flynedd o gyd-fyw, nid Gwen oedd ar feddwl Dylan bob amser.

Gan mai Gwen oedd wedi gwneud y bwcio a'r pacio, hi oedd yn gyfrifol am ddangos y dogfennau a'r pasborts i'r swyddogion wrth y ddesg. Esgusododd Dylan ei hun i fynd i'r lle chwech, ond anelodd at y stondin bapurau yn lle hynny. Efallai y byddai angen cylchgrawn i roi ychydig o hwb iddo gyflawni dymuniad ei gariad. Porodd yn nerfus drwy'r dewis ar y silff uchaf, a chiledrychodd dros ei ysgwydd rhag ofn bod aelod o'r teulu, ffrind neu glaf yn digwydd bod yn mynd ar wyliau hefyd. *Playboy*? *Mayfair*? *Penthouse*? Digon diniwed oedd y rheiny, meddyliodd, ac estynnodd am un mwy erotig o'r Iseldiroedd. Roedd DVD digon difyr yr olwg yn rhan o'r pecyn hwnnw! Fel yr oedd yn mynd i dalu amdano, clywodd lais yn galw'i enw. Oedd Gwen wedi'i ddilyn?

'Dyl? Ti ydi o?' Rhewodd corff Dylan wrth i'w galon neidio i'w wddf. Coc y gath, meddyliodd, dwi'n nabod y llais yna.

'Haia! Ffansi gweld ti yn fa'ma,' meddai llais rhywiol o'i orffennol. Rhoddodd y cylchgrawn yn ei ôl ar fyrder. 'Ar ben dy hun wyt ti?'

'Ie . . . wel, nage . . . ' Wyddai Dylan ddim sut i

55

ymateb i gwestiynau Haf, ei gyn-gariad. 'Wyt ti ar ben dy hun?'

'Nac'dw.'

Shit, meddyliodd, mae hi wedi cael gafael ar stalwyn newydd!

'Cariad arall?' holodd yn betrusgar, gan gofio'r amser y rhedodd Haf i ffwrdd gyda Mr Sweeney – dyn llawer hŷn na hi.

'Trip genod – parti ieir.'

'O!' Siriolodd wyneb Dylan, ac ymlaciodd. 'I ble'r ewch chi?'

'I Ffrainc.'

'O! A finne . . . a finne'n mynd i . . . Sbaen!'

Roedd Dylan wedi cyffroi yn llwyr, ac ar ôl mân-siarad am bethau dibwys, ffarweliodd â hi gan obeithio y byddent yn gweld ei gilydd eto'n fuan. Nid Gwen oedd ar ei feddwl o hynny ymlaen . . .

Pan lefelodd yr awyren dri deg chwe mil o droedfeddi uwchlaw'r ddaear, cododd Dylan gan ddweud ei fod angen ymestyn ychydig ar ei goesau cyn i'r prydau bwyd gyrraedd. Ond, y gwir amdani oedd fod chwilfrydedd yn drech nag ef, ac roedd yn rhaid iddo wybod a oedd Haf ar yr un awyren ag ef ai peidio. Edrychai Gwen yn ddigon hapus yn gwrando ar ei hoff gerddoriaeth ar ei iPod, gan bori ar yr un pryd drwy'r cylchgrawn siopa i ddewis ei hoff bersawr. Ond edrych ymlaen at wireddu ei breuddwyd yr oedd hi'n fwy na dim.

Roedd hi wedi cynllunio'r cyfan o flaen llaw. Hi

oedd i godi'n gyntaf i fynd i'r lle chwech, a hynny toc wedi i'r bwyd ddechrau cael ei ddosbarthu. Fyddai neb yn mentro codi'r adeg hynny, neu byddent yn styc tu ôl i'r troli am hydoedd. Roedd Dylan i fod i'w dilyn o fewn munud, a byddai'r ddau'n cael digon o amser i fynd i'r afael â phleserau serch cyn bod neb angen gwagiad.

Wedi cerdded mor bell ag y gallai heb fynd drwy'r allanfa argyfwng, trodd Dylan yn ei ôl. Dyna pryd y trawodd sŵn cyfarwydd ei glustiau – roedd rhywun yn siarad Cymraeg, ac ymysg y lleisiau roedd un Haf.

'Dylan! Be ti'n neud yn fa'ma?' holodd Haf mewn dryswch llwyr.

'Ha . . . Haia, ferched . . . ' Aeth Dylan yn swil drwyddo, a cheisiodd ymddangos yn ddi-hid.

'Dydi'r awyren yma ddim yn mynd i Sbaen!'

'Na finna. Tynnu dy goes di o'n i.' Dychmygodd Dylan Haf a'i ffrindiau'n dawnsio'n rhywiol ar lwyfan y Moulin Rouge yn hwyrach yn y noson, ac aeth ei feddwl yn rhemp. 'Mynd i Baris i gael eich diddanu, genod?'

'Chwilio am geiliog i ddiddanu tair iâr,' atebodd un o ffrindiau Haf. 'Edrych fel bod ni wedi'i ffeindio fo!'

'Falla y cewch chi un gwell yn eich pryd bwyd – *chicken casserole* ydi o!' Chwarddodd y tair ar ddoniolwch Dylan, a sibrydodd un yng nghlust Haf iddi fod yn stiwpid yn dympio hync mor rhywiol. Gwenodd hithau, a chododd i gael gair preifat ag o.

'Pwy fasa'n meddwl ein bod ni'n teithio efo'n

gilydd! Dydi rhywun byth yn saff, yn nachdi?' meddai Haf yn hysgi. Roedd bod mor agos iddi'n rhoi'r un wefr ag erstalwm i Dylan, a byrlymai'r chwys i lawr ei gefn ac i mewn i rych ei din. Teimlodd ei wrywdod yn codi i'r achlysur yn syth, ac roedd gwanc am fwy na phryd o fwyd plastig yn cyniwair yn ei drowsus. Cuddiodd ei bechodau gyda'i ddwylo, a symudodd i ffwrdd o glyw ei ffrindiau. Roedd am fentro dweud beth oedd ar ei feddwl, oherwydd efallai na ddeuai cyfle eto.

'Sut wyt ti ers hydoedd 'ta, Hafi? Wedi gweld dy golli di . . . '

'Cadw'n iawn 'sti. Prysur.'

''Nest ti weld fy ngholli i?' holodd Dylan yn obeithiol. 'Naddo, siŵr, a thitha efo dyn . . . profiadol i edrych ar dy ôl di.' Dim ond gwenu arno wnaeth Haf, ond roedd 'na addewid pendant yn y wên . . .

'Dwi'n . . . dal i dy garu di, Hafi!' mentrodd.

Edrychodd Haf i ffwrdd, ond roedd hiraeth yn llenwi ei llygaid hithau, a chynyddodd curiad ei chalon. Wedi'r cyfan, roedd hi'n hawdd cynnau tân ar hen aelwyd. Bu'r tân hwnnw'n mudlosgi am flynyddoedd, a doedd o ddim wedi oeri'n llwyr eto. Roedd eu perthynas wedi bod yn un ddidwyll ers y dechrau, a thrafodwyd byw a magu plant gyda'i gilydd hyd yn oed. Ond, cafodd Haf affêr nwydwyllt gyda'i bòs, a oedd ddeng mlynedd yn hŷn na hi, ac roedd wedi mwynhau'r adrenalin a berthynai i berthynas o'r fath.

Gan fod y troli bwyd ar gychwyn ar ei rownd, gorfu i Haf a Dylan symud o eil y seddi culion. Wrth i Dylan afael yn ei braich i'w hebrwng i'r cefn, aeth ton o waed poeth drwy ei wythiennau. Treiddiodd y teimladau hynny i'w chyfansoddiad hithau, ac aeth y cyffyrddiad yn fyseddu a'r byseddu'n flys am fwy. Gwelodd Dylan ei gyfle, a gwnaeth lygaid llawn gwahoddiad ar i Haf ymuno ag ef yn y toiled. Wrthododd hi ddim, a wnaeth neb sylwi ar eu diflaniad cyfrwys.

'O! Haf! Mae dy fronna di'n dal yr un mor fendigedig,' sibrydodd Dylan wrth eu cwpanu o flaen y drych, a theimlo'i thethi'n caledu rhwng ei fysedd.

Doedd dim lle i un person sefyll yn iawn yn y lle chwech, ond llwyddodd y ddau i gyfnewid cusanau brwd gan sugno a brathu ei gilydd bob yn ail. Llithrodd ei dafod yn ddeheuig ar hyd ei gwddw, a'i anadlu cynnes yn codi croen gŵydd dros ei chorff. Y persawr bendigedig 'na unwaith eto! meddyliodd Dylan wrth wthio'i godiad caled yn erbyn gwaelod ei chefn, a thynnu ei jîns dros ei chluniau. *Push to open* oedd ar gaead y bin papur sychu dwylo, ond gwthio coesau Haf ar agor wnaeth ef er mwyn iddi dderbyn ei bidlen. Yna, gorchmynnodd Haf iddo eistedd ar y sinc – roedd hi am sugno'i godiad yn gyntaf. Wrth wneud hynny, byseddodd ei beli llawnion gan ymestyn am ychydig o ddŵr o'r tap i ychwanegu at ei lleithder ei hun. Llifodd yr hen deimladau'n ôl i'r ddau, a doedd yr un ohonynt am i'w traed gyffwrdd y ddaear am oriau! Wrth i Haf sugno a llyfu, gafaelodd yntau yn ei phen a'i wthio'n ôl ac ymlaen ar hyd ei fin hir. Mae ei cheg fel hwfer cynnes, meddyliodd, ac roedd yn llythrennol 'ar ben y byd'.

Ychwanegodd y *turbulence* at eu pleserau wrth i'r awyren ddechrau crynu yng nghanol y cymylau. Daeth rhybudd gan y capten i bawb wisgo'u gwregysau diogelwch, ond anwybyddodd y ddau'r gorchymyn i ddychwelyd i'w seddi. Gwyddent na allai neb godi i fynd i'r toiled am sbel chwaith, ac aeth y meddyg ymlaen gyda'i archwiliad.

Ffeiriodd Haf le ag ef, gan osod ei hun ar y sinc er mwyn iddo gael mynd 'am dro i Frest Pen Coed'. Twriodd yn ei choedwig dywyll, gan dafodi'n gelfydd yn ei chont wlyb, cyn cosi ei botwm bach sensitif i achosi ysgryd sydyn yn y fan a'r lle. Roedd Haf eisiau mwy, a dechreuodd rwbio'i chlitoris ei hun, ac ar amrantiad, saethodd llwyth o sudd o'i ffynnon, a'i chwistrellu'n syth i wyneb Dylan. Cododd hynny'r awydd mwyaf ynddo, a gosododd Haf i sefyll uwchben y pan gan wynebu'r wal. Gorchmynnodd iddi ledu'i dwylo o'i blaen, a gostyngodd hithau ei chorff i'w dderbyn o'r tu ôl. Yng nghanol y rhuthr, gwthiodd fotwm y *Push for Floor Stud* mewn camgymeriad. Stŷd? Roedd hwnnw eisoes y tu mewn iddi! Roeddynt erbyn hyn yn pwnio mor galed nes bod waliau alwminiwm y toiled yn tolcio gan rym eu nwyd, ac wrth i'r ddau gyrraedd uchafbwynt yn yr

60

uchelfannau, sylwodd Haf ar arwydd *Adjust knob for temperature*. Doedd dim angen gwneud hynny.

Ataliodd Dylan rhag dŵad y tu mewn iddi, gan na wyddai a oedd hi'n dal ar y bilsen ai peidio. Derbyniodd hithau ei ddŵad gludiog yn ei dwylo. Fflysiodd y cyfan i lawr y sinc – roedd hi'n amlwg yn hen law arni – ac aeth eiliadau heibio gyda'r ddau'n gafael yn dynn yn ei gilydd.

'Ddaru'r awyr symud i ti, cariad?' holodd Haf, wrth ryddhau ei hun o'i afael ac estyn am ddŵr i oeri ei bochau.

'Roedd hynna ddwy flynedd yn hwyr!' gwenodd Dylan gan brysuro i dwtio'i hun. 'Rhaid i ni ei neud o eto, Haf.'

'Braidd yn anodd . . . '

'Pryd wyt ti'n mynd adre o Baris?'

'Paid â siarad yn wirion, Dyl! Mae un cyd-ddigwyddiad yn ddigon . . . '

Syrthiodd y ddau allan o'r tŷ bach yn drwsgl. Curodd y rhai yn y seddi cefn eu dwylo'n frwd – yn amlwg yn gwybod yn iawn beth oedd newydd ddigwydd – ac ymunodd y stiwardes yn y dathlu, gan ei bod hi wedi hen arfer â digwyddiadau nwydus o'r fath.

'Ydach chi'n "dod" yma'n aml?' holodd, cyn symud ymlaen i baratoi'r potiau te a choffi.

Wrth i Dylan anelu at flaen yr awyren, teimlai'n nwyfus ac ifanc unwaith eto. Ond roedd hefyd yn llawn euogrwydd. Llyncodd ei boer, gan obeithio y byddai Gwen yn llyncu ei stori.

Ond 'nôl yn rhes 11, roedd sedd A yn wag. Edrychodd Dylan o'i gwmpas. Fedrai hi ddim bod yn bell, meddyliodd, roedd eu bwyd yn dal o flaen eu seddi. Yna cofiodd am y trefniant i wireddu breuddwyd Gwen. 'Ffyc!' ebychodd, fel y gwelodd ddrws y tŷ bach yn agor.

Roedd wyneb Gwen yn adrodd cyfrolau. Buan yr anghofiodd am ei bleserau wrth i lais Gwen ruo yn ei glust, a gorfu iddo feddwl yn sydyn am esgus dilys dros ei ddiflaniad.

'Lle ddiawl ti 'di bod? Dwi 'di aros amdanat ti am hydoedd!'

Edrychodd y wraig barchus yn sedd 11C yn hurt wrth glywed ei harthiad, a throdd i edrych i lawr ar wastadeddau Ffrainc.

'Ym . . . siarad efo rhywun . . . '

'Siarad o ddiawl! Oeddat ti i fod yn y toilet 'na chwartar awr yn ôl!'

'O'n i *yn* y toilet! Lle oeddat *ti*?'

'Paid â malu cachu. Es i i'r bog ddwywaith! O'n i'n methu piso chwanag rhag ofn i rywun feddwl fod genna i broblam efo mhledran!'

'O'n i'n meddwl mai i'r toilet cefn o'n i fod i fynd! Sori, Gwen . . . brysia i fyta cyn iddyn nhw ddod i glirio!'

Doedd Gwen ddim yn coelio'i chlustiau.

'Paid â newid y stori'r bastard anystyriol. O'n inna'n

meddwl ei bod hi'n amlwg mai i'r toilet blaen oeddan ni i fynd. Rydan ni'n eistadd bron yn y ffrynt!'

Gwyddai Dylan nad oedd pwynt ceisio taflu mwy o lwch i'w llygaid tanbaid, a gorffennodd ei bryd yn dawel. Doedd dim chwant bwyd ar Gwen – roedd ei arogl yn troi ei stumog cymaint ag oedd ei 'chariad'.

'Difetha 'nghynllunia i, a finna wedi edrych ymlaen cymaint,' hefrodd, gan ddechrau igian crio. 'Ti'n hapus dy fod ti wedi difetha 'mreuddwyd i?'

'Paid â gneud môr a mynydd o betha! Mae 'na ddigon o gyfleoedd eraill i ni ffwcio!'

Roedd y ddrama'n prysur droi'n ffars pan gyhoeddodd y capten fod yr awyren wedi dechrau disgyn. Calla dawo, meddyliodd Dylan – fyddwn ni'n glanio yn y man, ac efallai y bydd y gwynt wedi gostegu erbyn hynny.

Ond nid Gwen oedd ar ei feddwl y noson honno, a diolchodd fod digon o atyniadau ym Mharis i'w diddanu heb iddo orfod sgwrsio gormod â hi.

Roedd y meddyg yn hynod o falch o weld y syrjeri fore Mawrth, ond methodd ganolbwyntio ar amryfal gwynion ei gleifion. Roedd ei brofiad arallfydol ei hun yn dal i feddiannu ei feddwl.

Nid oedd am aros yn hwy, a phenderfynodd godi'r ffôn i wadd Haf am swper. Gwyddai y byddai'n derbyn ei gynnig. Roedd hi'n amlwg fod popeth ar ben rhyngddi hi a'i chariad hynafol, a phan dderbyniodd ei wahoddiad, bwciodd fwrdd ym mwyty crandia'r dre. Teimlai ym mêr ei esgyrn fod bywyd newydd ar fin cychwyn.

'Diolch am wireddu breuddwyd i mi yn yr awyr,' meddai Dylan, gan dywallt y gwin coch drutaf i wydryn Haf.

Edrychai'n hynod o atyniadol yn ei sgert laes a'i siaced felfed. Gwisgai'r un un persawr ag oedd ganddi ar ei gwyliau, a gwyddai Dylan nad oedd ganddi fra'r noson honno chwaith.

'Roedd o'r tro cynta i minna hefyd,' cyfaddefodd yn swil.

'Rhaid i ni ei wneud o eto, felly . . . '

Tawelwch.

'Wnest ti mo'no fo ar y ffordd yn ôl efo dy gariad newydd? Edrych yn hogan 'tebol i mi!'

Wyddai o ddim fod Haf wedi sylwi ar ei gydymaith ar yr awyren. Ond roedd yn well ganddo drafod Haf na Gwen yr eiliad honno, a cheisiodd newid trywydd y sgwrs. Cymerodd ei amser i fwyta'r *poulet estragon*, ac wedi sgwrsio am hyn a'r llall, dewisodd ei eiriau'n ofalus.

'Mi fyswn i'n rhoi fy llaw dde i dy gael di'n ôl, Hafi,' erfyniodd. 'Mi wna i faddau popeth i ti am redag i ffwrdd efo dy fôs.'

'Mae 'na lawar o ddŵr wedi mynd o dan y bont ers hynny, Dyl.'

'Ti'n un dda i sôn am ddŵr,' mentrodd yn awgrymog, gan gofio am y gawod gynnes a dderbyniodd ganddi ar yr awyren. Ond anesmwythodd Haf yn ei sedd.

'Mae pawb isio symud ymlaen,' meddai gyda phendantrwydd nad oedd Dylan wedi'i ddisgwyl.

'Mae pawb isio profi'r man gwyn hefyd,' ychwanegodd yntau. 'Ond yn ôl mae pawb yn mynd yn y pen draw. Meddylia am y peth, cariad . . . '

'Ym . . . mae genna i briodas yr ha 'ma, Dyl . . . yn Las Vegas.'

'O! Dipyn o "gambl" fysa mynd i fanno,' chwarddodd ar ei jôc ei hun. 'Dwi ddim am "fetio" y cei di romp yn yr awyr yr adag honno! Mwy o win?'

'Mi fydd genna i hawl i gael un ar y ffordd yn ôl. Mi fydda i hefo fy ngŵr.'

Wyddai Dylan ddim fod Haf yn dal i ganlyn y bastard wnaeth ei dwyn hi oddi arno! Roedd hi'n swnio'n ferch rydd (ym mhob ystyr) ar y ffordd i Baris! Twyllo dyn yn ei wendid, meddyliodd. Ar hynny, canodd ei ffôn poced, a phetrusodd cyn ei ateb wedi i enw Gwen fflachio o flaen ei lygaid.

'Dwi wedi dy ddilyn di, Dylan Hughes,' meddai llais haearnaidd y pen arall. 'Gobeithio i ti fwynhau dy bryd cystal â dy gwmni. Ond paid â disgwyl tamad genna i byth eto!'

Yna aeth y ffôn yn fud, yn union fel yr aeth Dylan.

'Popeth yn iawn?' holodd Haf wrth godi i wisgo'i chôt.

Does dim angen ateb, meddyliodd yntau. Dydi hi ddim angen gwybod.

Wrth hebrwng un ferch allan o'r bwyty, synhwyrodd

Dylan fod cysgod un arall yn diflannu rownd y gornel, a'r ddwy'n mynd o'i fywyd mor ddisymwth â'i gilydd.

Y Darlun Byw

Edrychodd Marian ar ei gŵr yn rhoi'r fforc yn ei geg a'i thynnu allan, ei ddannedd yn crafu ar y metel. Edrychodd ar ei swper hithau gan godi coedyn o frocoli i'w cheg. Roedd o'n oer ac yn llipa – yn siom. Doedd hi 'rioed wedi meistroli'r ddawn o ferwi llysiau. Ond doedd o ddim i'w weld yn malio; roedd o'n rhwyfo'r swper i'w geg gyda'i gyllell a'i fforc am yn ail. Llyncodd hithau'r stwnsh yn ei cheg; doedd dim angen ei gnoi.

'Sut ddiwrnod gest ti?' gofynnodd iddo. Crafodd y fforc eto a pharhaodd Brynmor i syllu ar ei blât, er nad oedd dim i'w weld yno bellach ond staen sôs coch ac ambell friwsionyn. Sylwodd Marian fod perlen o chwys yn ymgasglu ar rimyn ei wefus uchaf. Gosododd Brynmor ei gyllell a'i fforc yn hanner-'di-chwech cwrtais ar ei blât. Roedd o ar fin esgusodi ei hun . . .

'Oedd hi'n brysur heddiw?' Yn uwch tro 'ma. Roedd elfen o argyfwng yn perthyn i'w lais. Doedd hi ddim am iddo adael y bwrdd a nhwythau heb yngan gair.

'Go lew. Mi brysurodd erbyn y pnawn,' meddai, gan ddal i gnoi. Cododd ei wydryn a sugno gweddill y gwin at y golch yn ei geg. Crafodd coesau'r gadair yn erbyn y llawr.

'Diolch, cyw.' Heb edrych arni.

'Croeso.' Clywodd y llestri'n clincian i'r sinc a chamau yn cerdded i fyny'r grisiau. Edrychodd ar ei phlât; prin yr oedd hi wedi cyffwrdd â'i bwyd. Ei thro hi oedd gadael i'w llygaid suddo. Drwy'r *chicken kiev* a'r bwrdd, drwy'r carped ac yn is at yr estyll yn y llawr.

Suai sŵn y teledu o'r gornel ond roedd hi wedi rhoi'r gorau i wrando arno ers meitin. Roedd glas y sgrin yn fflachio ar y waliau a hithau'n gwylio'r sgwaryn; ei phen yn wag. Yn hwyrach y noson honno, wrth iddo fustachu uwch ei phen yn y düwch, syllodd yn hir ar bry yn dawnsio ar y nenfwd yng ngolau'r stryd. Meddyliodd mai creaduriaid rhyfedd oedd pobl – yn gwneud pethau, ond heb eu gwneud, chwaith. Bwyta heb flasu, clywed heb wrando, edrych heb weld . . . Cafodd y pry ddigon ac mewn eiliad roedd o wedi diflannu drwy'r ffenest agored. Gadawodd i'w llygaid gau cyn ei ddilyn drwy'r nos i ddawnsio o dan lifolau cryf lamp y stryd.

'Faint ddudsoch chi oedd y fâs 'ma eto?' Ochneidiodd Brynmor yn fewnol. Roedd y ddynas 'ma'n ei yrru fo'n wallgo. Roedd hi yno ers dros awr erbyn hyn, ac wedi pwyso a mesur popeth yn y siop.

'Punt a chweigian.'

'Be, 'mach i? Dydi'r hen glustia 'ma ddim be oeddan nhw.' Roedd hi'n dal ei dwylo o'i blaen wrth chwilota drwy'r bargeinion, a meddyliai Brynmor mor debyg i lygoden oedd hi. Roedd ganddi sbectol fach gron ar flaen ei thrwyn a mwy nag awgrym o fwstash gwyn yn tyfu oddi tano. Roedd y glaw tu allan yn poenydio'r ffenest gan ruthro'n afonydd budr ar ei hyd.

'Www, mae hi'n un fach dlos. Pwy yn y byd fyddai isio cael 'madael arni, tybed?' Roedd hi'n fâs erchyll â chrac ynddi ond roedd yr hen ddynes yn ei dal fel petai'n drysor. Edrychodd Brynmor o amgylch y siop gan feddwl cymaint yr oedd o'n casáu'r hen le. Y cwbl oeddan nhw'n ei werthu oedd rwtsh ail-law, hen lyfrau Mills & Boon wedi eu bodio'n rhacs a dillad na fyddai neb yn ei iawn bwyll yn eu cyffwrdd, heb sôn am eu prynu.

Daeth y ddynes-lygoden yn nes. Roedd hi'n drewi o biso – rhywbeth a oedd yn gyffredin rhwng pawb o'r bobl a ddeuai i siopa yma, meddyliodd Brynmor, gan drio peidio ag anadlu trwy'i drwyn.

'Mae hi'n ddigon o sioe, ydach chi ddim yn meddwl?'

'Neis iawn.' Gwenodd y ddynes drwy lond ceg o ddannedd gludiog, afiach. Roedd yr ateb wedi ei phlesio.

'Ond mae hi wedi cracio. Dydi hi dda i ddim.' Cafodd bleser annisgwyl o dynnu'r gwynt o'i hwyliau, ond doedd yr hulpan ddim wedi'i glywed. Dechreuodd dyrchu yn ei phwrs am geiniogau.

'Fedrwch chi ddim dod â hi'n ôl am *refund* os ydach chi'n newid eich meddwl ar ôl cyrraedd adra,' meddai ar dop ei lais. Crychodd ei thalcen fel papur sidan a blinciodd ddwyaith neu dair heb ddallt. Roedd y glaw fel cynulleidfa wyllt yn curo dwylo a theimlai Brynmor ei fod o mewn *sitcom*. Un wael. Ac mai fo oedd testun y jôc.

Cipiodd y fâs o'i llaw yn frwnt a dechrau ei lapio mewn papur llwyd. Teimlodd ddiferyn o chwys yn disgyn oddi ar ei dalcen a meddyliodd tybed pa mor hir y medrai o barhau fel hyn, cyn i'r lastig oedd yn ei ddal dorri o dan y pwysau. Dychmygodd ei gorff yn ymledu fel menyn ar hyd y llawr, o dan y drws ac at y dŵr draen tu allan.

Canodd cloch y siop. Yn sefyll yn y drws roedd llipryn o ddyn mewn côt laes. Roedd ei wallt yn seimllyd ac yn glynu yn ei ben, a gwelodd Brynmor ei fod yn cario llun siarcol mawr wedi ei orchuddio gan blastig. Craffodd, a gweld mai llun o ddynes bryd tywyll yn gorwedd ar ei hochr oedd o. Teimlodd y llawr yn rhoi oddi tano. Roedd hi'r un ffunud . . .

Y peth diwethaf a glywodd cyn i'r düwch ei lyncu oedd ebychiad yr hen ddynes wrth i'r fâs chwalu'n gant a mil o ddarnau bach.

Pan ddadebrodd, roedd y siop yn llawn. Sŵn pobl yn mwmian, yna rhywun yn dweud ei enw. Agorodd ei lygaid a gweld ciwed o bobl, eu hwynebau'n morio o'i flaen. Cofiodd am y dyn main a'r llun a chododd ar ei eistedd yn sydyn. Teimlodd law ar ei ysgwydd.

'Ara deg rŵan. 'Dach chi wedi cael tipyn o sgeg.'

Ymgyfarwyddodd ei lygaid â'r stafell a gwelodd wyneb caredig yn edrych i lawr arno. Chwiliodd y stafell am y dyn main ond fedrai o ddim ei weld, na'r ddynes-lygoden chwaith.

'Lle ma . . . ?' Baglodd ei dafod dros ei ddannedd.

'Sssht rŵan, dyna chi. Mae'r ambiwlans ar ei ffordd.'

'Roedd 'na ddyn yma . . . roedd ganddo fo lun . . . 'Y ngwraig i . . . ' Edrychodd yr wyneb arno'n od am eiliad cyn gwenu unwaith eto. Gwelodd Brynmor fod ei law yn gwaedu ac roedd darnau bach o *china* gwyn fel sêr yn y briw.

'Mi ydach chi wedi cael codwm. Ydach chi am i mi ffonio'ch gwraig?' Anadlodd Brynmor yn drwm.

'Na,' meddai'n bendant, cyn rhoi ei bwysau ar ei law arall a chodi.

Roedd o'n breuddwydio amdani hi eto. Ei chefn euraid a'i gwallt tywyll yn rhaeadru drosto, gan dasgu ar y cynfasau gwyn. Fedrai o ddim gweld ei hwyneb. Er hyn, ysai am iddi symud. Ysai am ei chyffwrdd nes bod pob cyhyr yn ei gorff yn brifo. Ewyllysiodd i flaen ei fys olrhain y pant troellog i lawr ei hasgwrn cefn, nes cyrraedd ei waelod. Ac yna'n is ar hyd ffos gyfrin ei phen-ôl nes yr oedd blaenau ei fysedd yn wlith melys. Ond feiddiai o ddim. Rhag iddi droi a'i wynebu, a chwalu'r freuddwyd. Doedd o ddim isio'r cadarnhad erchyll hwnnw mai ei wraig oedd y ferch yn y darlun. Felly bodlonodd ar syllu am eiliadau crynion hir, nes i'r bore bach lusgo cloriau ei lygaid ar agor. Diolchodd fod Marian wedi gadael o'i flaen y bore hwnnw a theimlodd euogrwydd fel feis yn tynhau am ei stumog. Llusgodd ei hun o'r gwely gan orfodi ei freuddwyd wlyb i bylu ym mhlu'r gobennydd.

Roedd rhai wythnosau wedi mynd heibio ers y diwrnod hwnnw ond methai Brynmor ag anghofio'r hyn a welodd. Llun o'i wraig oedd o, roedd o bron yn siŵr. Ond pam yn y byd y byddai gan y dieithryn hwnnw ddarlun o'i wraig yn ei feddiant? Ac yn fwy na hynny, llun ohoni'n noeth! Roedd ei stumog yn troi wrth feddwl am y peth.

Er iddo holi pawb yn y siop, doedd neb wedi gweld y dyn main na'r ddynes, a fedrai yntau ddim esbonio beth oedd wedi digwydd. Daeth i'r casgliad ei fod o wedi cael moment fach wan ac wedi dychmygu'r cwbl. Mae'n wir ei fod o wedi bod yn cael trafferth cysgu'n ddiweddar. Yn ddiarwybod i Marian, cafodd dabledi cysgu gan y doctor i'w helpu ac, os oedd o'n bod yn gwbl onest, roedd o wedi dechrau mynd braidd yn ddibynnol arnyn nhw. Roedd posibilrwydd cryf mai cyfuniad o ddiffyg cwsg a gormod o gyffuriau oedd ar fai. Ond os mai ffrwyth ei ddychymyg oedd ar fai, sut oedd esbonio'r fâs a'r creithiau oedd yn dal yn igam-ogam blêr ar gledr ei law?

Roedd o wedi cael digon ar droi a throsi'r peth yn ei feddwl, fodd bynnag, a phenderfynodd roi'r cwbl y tu ôl iddo. Efallai mai arwydd oedd o; arwydd i ddechrau arafu a pheidio â chaniatáu i fywyd ei lusgo i lawr. Gwnaeth benderfyniad i roi'r gorau i'r tabledi cysgu. Ymlaciodd rhyw fymryn a cheisiodd ganol-bwyntio ar yr hyn *oedd* yn wir yn ei fywyd. Roedd Marian ac yntau wedi pellhau; synnodd fel yr oedd y blynyddoedd wedi gwibio heibio heb iddo sylwi. Gwnaeth ymdrech i ailgynnau pethau rhyngddyn nhw, ond roedd o wedi anghofio sut i wneud iddi chwerthin, sut i'w chyffwrdd, sut i'w charu. Roedd pob ymdrech yn chwithig a llafurus. Felly bodlonodd unwaith eto – fel y bodlonasai ers blynyddoedd – ar ei fywyd naw-tan-bump di-lol, diffwdan, di-ddim. Ac, o dipyn i beth, daeth i arfer – ac i ddibynnu – ar y breuddwydion byw yn nwfn y nos, oedd yn ei gyffroi ac yn ei ffieiddio ar yr un pryd.

Roedd hi'n ddiwrnod mwll a doedd neb fawr wedi t'wllu'r siop drwy'r dydd, felly penderfynodd Brynmor gau'n gynnar a mynd am damaid i'w fwyta yn y caffi gyferbyn. Nos Iau oedd hi a fyddai Marian ddim adref tan yn hwyr. Roedd hi wedi dechrau mynd i'r Bingo ers ychydig wythnosau bellach, a doedd Brynmor ddim ffansi gwneud swper iddo fo'i hun. Archebodd frechdan grasu a phaned o goffi wrth y cownter cyn eistedd. Defnyddiodd ei lewys i gael gwared â'r siwgr mân oedd ar hyd y lliain bwrdd plastig. Roedd o'n teimlo dros Marian – oedd ei bywyd hi mor wag nes ei bod yn teimlo bod yn rhaid iddi hi fynd i'r Bingo, o bob man? Ond roedd hi'n sioncach ar ôl cael noson allan efo'i ffrindiau, a phwy oedd o i wadu hynny iddi? Newydd eistedd oedd o pan ddaeth y weinyddes â'i goffi iddo. Gorlifodd rhywfaint o'r hylif i'r soser wrth iddi ei osod ar y bwrdd.

Roedd y caffi'n wag oni bai am ddyn ifanc a'i gefn tuag ato, yn pori mewn llyfr, a chwpwl oedrannus yn eistedd gyferbyn â'i gilydd wrth y ffenest, heb yngan gair. Syllodd yn hir arnynt gan feddwl mor drist oedd cyrraedd y pwynt hwnnw mewn perthynas lle nad oedd dim ar ôl i'w ddweud. Ond, meddyliodd, pryd oedd y tro diwethaf i Marian ac yntau siarad go iawn? Cydiodd ofn yn ei galon wrth feddwl mai fel hyn y byddai pethau rhyngddyn nhw, bellach . . .

Edrychodd yr hen wreigan i'w gyfeiriad gan ddal ei lygaid, ac edrychodd Brynmor ymaith. Gwelodd fod y dyn ifanc wedi codi ar ei draed ac wrthi'n talu i'r weinyddes. Roedd o wedi plygu i estyn ei gôt oddi ar y gadair – côt laes, dywyll. Craffodd. Doedd bosib? Diolchodd y dyn i'r weinyddes, ac wrth iddo roi ei gôt amdano cafodd Brynmor gip sydyn ar ei wyneb. Syllodd arno'n ddiymadferth wrth iddo gerdded allan drwy'r drws. Gallai deimlo'r hen chwys hwnnw'n ymgasglu eto ar ei dalcen. Aeth eiliadau hirion heibio heb i Brynmor wybod beth i'w wneud nac i'w feddwl.

Ond yna, roedd o ar ei draed ac yn brasgamu tua'r drws. Daeth y weinyddes yn ei hôl gyda phlât yn ei llaw.

'Be am y *toastie* 'ma?' Ond roedd Brynmor wedi camu i'r stryd a chlywodd o mohoni. Edrychodd o'i gwmpas yn wyllt, nes gweld y dyn main yn troi'r gornel ar waelod y stryd. Fe'i dilynodd, nes yr oedd o'n dynn wrth ei sodlau. Cyn i'r dyn droi i lawr stryd gefn, gafaelodd Brynmor yn galed yn ei ysgwydd a'i droi i'w wynebu.

'Be ti isio? 'Mond ceiniogau s'gen i . . . ' Roedd y dyn yn crynu wrth dyrchu yn ei bocedi a meddyliodd Brynmor am eiliad mor chwerthinllyd oedd y sefyllfa. Ond sobrodd wrth gofio am y llun.

'Be dach chi 'di bod yn neud efo 'ngwraig i?' Doedd gan Brynmor ddim syniad pam ei fod o'n ei alw fo'n 'chi'. Doedd ganddo ddim parch at y basdad yma. Edrychodd y dyn arno'n ddi-ddallt.

'Dy wraig?' Dechreuodd y dyn chwerthin yn nerfus.

'Paid ti â meiddio chwerthin ar 'y mhen i, y cwd bach.' Cododd Brynmor ei law arall a'i hoelio wrth y wal. Diflannodd gwên y dyn a synnodd Brynmor at ei nerth ei hun.

'Dwi'm yn dallt . . . dwi'm 'di gneud dim byd, mêt.'

'Chdi oedd yn y siop . . . ti 'di bod yn mela 'fo 'ngwraig i . . . '

'Hei, *hold on* rŵan. 'Sgin i'm syniad am be ti'n sôn – dwi'm yn nabod dy *sodding* gwraig di.' Tro Brynmor oedd hi i simsanu.

'Wel pam bo gen ti lun ohoni'n noethlymun, ta? Fedri di'm gwadu mai hi ydi hi . . . ' Ond doedd Brynmor ddim mor siŵr o'i betha erbyn hyn. Crychodd y dyn ei dalcen ac yna ymledodd gwên ar hyd ei wyneb. Roedd Brynmor isio rhoi slaes iddo.

'Ti'm yn dallt . . . Dwi'n mynd i wersi celf yn y dre.'

'Be s'gin hynna i wneud efo 'ngwraig i?'

'Dwn i'm, mêt. Dyna lle dwi'n dy golli di. Yli, be am i chdi ista. Ti'n wyn 'tha *sheet*.' Arweiniodd y dyn Brynmor at fainc gyfagos.

Ddywedodd Brynmor ddim byd wrth i Martin – dyna'i enw – esbonio ei fod o wedi bod yn mynd i wersi *life-drawing* ers ychydig fisoedd ac mai dod i nôl ei fam oedd o pan ddaeth o i'r siop; ei fam o oedd isio prynu'r fâs, wedi dallt. Dywedodd eu bod nhw wedi dychryn pan lewygodd Brynmor ac y bysan nhw wedi aros o gwmpas i helpu, ond bod digon o bobl yno i edrych ar ei ôl. A beth bynnag, roedd ganddyn nhw fws i'w ddal ac mi fysan nhw wedi gorfod aros awr arall cyn yr un nesa.

'Ond . . . ' Roedd Brynmor yn teimlo'n dipyn o ffŵl erbyn hyn. Ysgydwodd ei ben. Ddywedodd Martin ddim byd am funud neu ddwy. Estynnodd i boced ei gôt a thanio sigarét.

'Ti 'rioed 'di bod?'

'Be?'

'Mewn gwers *life-drawing*.'

'Ti'n gall?'

'Mi ddylsa chdi. Does na'm byd tebyg iddo fo. Ar fy

ffordd i 'ngwers o'n i rŵan, yn digwydd bod.' Aeth Martin i'w boced ac estyn llyfr ohono.

'Hwn 'di'n llyfr sgetshys i, yli.' Gwnaeth Brynmor bopeth o fewn ei allu i beidio ag edrych. Roedd o wedi gwneud camgymeriad enbyd drwy gyhuddo'r dyn 'ma ac mi ddylai godi rŵan hyn a cherdded i ffwrdd; roedd o'n amlwg yn hen sglyfath budur. Ac yn beryglus hyd yn oed.

Roedd Martin fel petai wedi darllen ei feddwl. 'Does na'm byd afiach am y peth. Mae'r corff fel gwrthrych; 'di o ddim yn rhywiol o gwbwl.' 'Wel, wsti, mae o, ac eto dydi o ddim . . . ' Cochodd Martin rhyw fymryn, er syndod i Brynmor; doedd o ddim yn edrych y teip, rhywsut.

'Mae o jyst yn . . . brydferth; ma 'na rwbath pur am y corff dynol.' Ac er ei waethaf, cafodd chwilfrydedd y gorau ar Brynmor. Edrychodd drwy gil ei lygaid ar y llyfryn. Yno, roedd darlun o ferch ifanc, ei gwallt euraid wedi ei dynnu'n dynn ar ei phen, ei gwefusau yn inc gwlyb a'i thethi fel bwledi. Lledodd llygaid Brynmor a theimlodd gryndod caled rhwng ei goesau.

Erbyn iddyn nhw gyrraedd y coleg lleol, roedd y wers wedi dechrau a drws yr ystafell wedi cau.

'O, wel. Yli, dwi am 'i throi hi . . . ' Roedd y daith draw yno wedi ei sobri. Beth ar y ddaear oedd wedi dod drosto fo? Doedd o ddim yn un i wneud pethau ar fympwy ar y gorau, ac roedd canlyn hwn i wledda ar ferched noeth yn gwbl groes i'w gymeriad. Er, doedd o 'rioed wedi ymosod ar ddieithryn gefn dydd golau cyn heddiw chwaith.

'Does dim angen i chdi fod yn shei . . . '

'Na, wir 'ŵan, fydd y wraig 'cw'n fy nisgwyl i . . . ' Ond cyn iddo fedru dianc, roedd y drws wedi agor ac roedd dynes ganol oed yn sefyll yno'n gwenu arnyn nhw.

'Helô, Martin. Sut wyt ti heno 'ma?' Roedd ganddi wallt brith mewn bynsan yn isel ar gefn ei phen. Edrychodd i gyfeiriad Brynmor gyda diddordeb.

'Dwi'n iawn, diolch, Jane. Brynmor 'di hwn.'

'Helô 'na,' meddai'n glên. 'Newydd gychwyn ydan ni, felly dydach chi ddim wedi colli lot.' Oedodd Brynmor wrth y drws a syllu ar ei draed fel plentyn ysgol.

''Di o 'rioed 'di bod mewn gwers *life-drawing* o'r blaen ac mae o 'chydig yn nerfus, dwi'n meddwl!' Suddodd calon Brynmor yn is.

'Does dim angen i chi boeni, siŵr,' chwarddodd Jane. 'Mi edrycha i ar eich ôl chi.' Roedd rhywbeth agos atoch chi amdani a hoffodd Brynmor hi'n syth. Teimlai y medrai ymddiried ynddi, rhywsut. A chyn iddo feddwl beth oedd o'n wneud, cafodd ei hun yn cerdded drwy'r drws.

Doedd Brynmor ddim wedi caniatáu iddo'i hun i edrych i gyfeiriad y model; roedd o'n rhoi ei holl sylw i'r cynfas o'i flaen ac yn gwneud ei orau i beidio â gwrido. Gallai weld ffigwr merch drwy gil ei lygaid, ond feiddiai o ddim edrych arni. Doedd y peth ddim yn iawn.

Parhaodd Brynmor i syllu ar y cynfas gwyn. Mi fyddai o wedi rhoi'r byd am i'r ddaear ei lyncu. Gallai deimlo ei ddagrau'n cronni. Roedd o isio dianc o'r Gehenna yma, yn ôl i ddiogelwch clyd ei gartref. Daeth Jane tuag ato.

'Be am i chi roi cynnig ar y paent olew 'ma? Er ei fod o'n medru bod yn anhylaw, mae o'n gyfrwng da i ddechrau dod i'r afael â fo.' Synhwyrodd y ddynes y tensiwn ynddo a gwenodd arno'n glên.

'Does 'na ddim byd yn fwy naturiol na bod dynol yn edrych ar fod dynol arall. Dydan ni ddim yn gwneud digon ohono fo, gwaetha'r modd.'

Roedd Brynmor isio gweiddi bod y peth yn afiach, yn gwbl annaturiol a'i fod o'n mynd o 'no, ond doedd o ddim isio tynnu mwy o sylw ato'i hun. Fedrai o ddim edrych ar y model, na hyd yn oed symud gewyn, cymaint oedd ei ofn. Trodd y ddynes ac edrych arno'n ddisgwylgar. Doedd ganddo ddim dewis. Llyncodd ei boer a throdd i edrych. Dynes yn ei chanol oed oedd hi, a'i chefn tuag ato, ei gwallt yn donnau du. Gwelodd yn syth mai hon oedd yr un ddynes a welsai yn narlun Martin. Roedd hi'n debyg i Marian, doedd dim gwadu hynny.

Gafaelodd yr athrawes mewn tiwb o baent a gwasgu malwen dew o olew ar y cynfas. Gosododd sbatiwla yn ei law, ac yna rhoddodd ei llaw hithau am ei law yntau a dechrau taenu'r paent coch ar hyd y cynfas. Aeth gwefr drydanol drwyddo wrth iddo deimlo'i llaw hi'n gynnes ar ei law yntau. Bron na theimlai ei fod o'n cael ei dreisio, ond roedd rhywbeth yn ei gyffroi am y sefyllfa ar yr un pryd. Symudodd y ddynes ei braich gan dywys ei law yntau.

'Astudiwch bob manylyn bach, fel petaech chi'n edrych ar gorff noeth am y tro cyntaf.'

Ufuddhaodd Brynmor, gan feddwl nad oedd hynny'n bell o'r gwir. Doedd o 'rioed wedi dod wyneb yn wyneb â chorff cyfan gwbl noeth fel hyn o'r blaen, ddim hyd yn oed corff ei wraig ei hun. Ac roedd o wedi ei gyfareddu. Gadawodd i'w lygaid ddilyn amlinell ei chefn i lawr at gefn ei phengliniau, gan edmygu llyfnder y croen. Sylwodd ar smotyn tywyll ar ei phen-glin chwith. Oedodd. Sadiodd. Caeodd ei lygaid yn dynn ac yna'u hagor. Rhythodd eto ar y brycheuyn cyfarwydd, gan deimlo'r gwaed yn rhuthro i'w ben.

Er bod ei llygaid ar gau, gwyddai fod llond stafell o ddieithriaid yn astudio pob manylyn o'i chorff, yn ei ddadansoddi, ei ddadstrwythuro a'i ddehongli. Yn glinigol, bron. Fel petai hi'n wrthrych gwerthfawr. Ond er ei bod yn llonydd fel delw, roedd hi'n teimlo'n fwy byw nag erioed. Roedd ei synhwyrau'n deffro; y gwaed yn ei chorff yn ymateb trwy esgyn i'w gwefusau, a miloedd o binnau bach yn tasgu drwy ei chorff. Roedd hi'n fwy ymwybodol o'i chorff nag erioed o'r blaen, a meddyliodd yr eiliad honno mai teimlo oedd y synnwyr gorau yn y byd. Pwy oedd angen llygaid i weld a chlustiau i glywed pan fo rhywun yn teimlo fel hyn?

'Edrychwch ar y modd y mae'r cnawd yn cofleidio fframwaith y corff.' Daliai Brynmor i syllu arni, er gwaetha'r ffaith ei fod o'n sicr erbyn hyn nad ei feddwl oedd yn chwarae triciau arno. Roedd o isio gwthio'r hen hoeden oddi wrtho, cicio'r cynfas o'r ffordd a gweiddi ar ei wraig i wisgo amdani cyn ei llusgo adref gerfydd ei gwallt. Edrychodd o'i amgylch ar y dynion yn y stafell yn edrych ar ei wraig – ei wraig o! Ciledrychodd i gyfeiriad Martin – roedd o yn ei elfen. Roedd o'n dal coes brwsh yn ei geg ac roedd ei lygaid yn dawnsio'n beryglus wrth edrych ar ei brae. Neu dyna a ddychmygai Brynmor. Cafodd ysfa i roi dwrn yn wyneb pob un o'r basdads diegwyddor ond roedd o'n gwbl ddiymadferth. Ac er gwaetha'i gynddaredd a'i ffieidd-dra, teimlai rhyw gyffro annirnad yn gafael ynddo.

Ar hyd ei bywyd, roedd hi wedi cuddio'i chorff, wedi ei anwybyddu a'i wadu. Roedd ei bronnau a'r blew bach cyrliog a dyfai'n wyllt rhwng ei choesau wedi gwneud iddi deimlo'n fudr gydol ei bywyd. Fyddai hi byth yn teimlo'n gyfforddus heb ddillad neu gynfas gwely i guddio'i chywilydd. Ond rŵan roedd pethau'n wahanol. Roedd hi wedi ailfeddiannu ei chorff ac roedd hi'n mwynhau pob eiliad. Teimlodd ei thethi'n caledu o dan belydrau ei chynulleidfa a gadawodd i'r heulwen donni drosti.

Edrychodd eto ar ei wraig; roedd hanner gwên yn chwarae ar ei gwefusau agored a'r rheiny'n binc tywyll, llaith. Roedd ei llygaid ynghau, a meddyliodd Brynmor tybed beth feddyliai hi petai hi'n gwybod ei fod o yno, yn traflyncu ei chorff fel y gweddill ohonyn nhw.

Roedd elfen o euogrwydd yn perthyn i hyn i gyd, wrth gwrs. Euogrwydd am fynd y tu ôl i gefn ei gŵr ac euogrwydd am feiddio â gadael iddi'i hun fwynhau cael ei gwylio fel hyn. Doedd hi ddim yn siŵr beth a wnaeth iddi ateb yr hysbyseb yn y papur lleol y diwrnod hwnnw. Diflastod, chwilfrydedd, elfen o wallgofrwydd o bosib. Ond doedd hi ddim yn disgwyl y byddai hi'n teimlo fel hyn. A doedd hi 'rioed wedi ystyried am eiliad y byddai hi'n dod o hyd i'r hyn yr oedd hi wedi bod yn chwilio amdano ar hyd ei bywyd. Clywodd y llais ar ochr arall y stafell a theimlodd rhyw losgi'n ymledu'n ddanadl poethion hyd ei chroen.

'Edrychwch ar amlinelliad y corff a symudwch eich garddwrn ar hyd y cynfas, yn symudiadau mawr, gosgeiddig.' Symudodd Brynmor ei law ar hyd y cynfas garw gan rwbio'r paent gwlyb ar ei hyd, heb dynnu ei lygaid oddi arni. Gallai deimlo cryndod caled yn llosgi yn ei drowsus wrth iddo ddefnyddio'i fysedd i gymysgu'r coch a'r gwyn yn binc poeth, peryglus.

Gallai deimlo llygaid yn llyfu ei chroen a safai blew bach ei breichiau yn stond, fel blodau yn cyfarch yr haul.

Dychmygodd Brynmor ei fysedd parod yn taenu'r paent ar hyd ei chorff. Meddyliodd am ei ddwylo yn olew llithrig rhwng bochau ei thin, yn eu gwthio a'u gwahanu nes datgelu pant cyfrin ei chont yn curo'n drwm . . . yn ysu am iddo ei llenwi . . . Fedrai o ddim diodde rhagor. Gollyngodd y sbatiwla a gwthio'i ffordd allan drwy'r drws gan anadlu awyr gynnes y nos yn ddwfn i'w ysgyfaint.

Teimlodd wres ei llygaid yn llosgi ei bronnau noeth. Roedd yr aros a'r dyheu yn annioddefol, a gallai deimlo'r gwlith yn diferu'n gynnes o'i shinani ar y lliain gwyn.

Wrth gerdded i lawr y stryd wag am adref, ei galon yn curo fel drwm, penderfynodd Brynmor y byddai'n mynd adre y noson honno ac yn gweithredu ar ei chwant. Byddai'n moesymgrymu o flaen ei wraig ac yn ei llyfu'n amrwd gan ddadmer holl oerni'r blynyddoedd. Roedd o'n ei charu'n wyllt, yn ei haddoli. Gwyddai hynny'n awr, ac agorodd y dyfodol fel blodyn o'i flaen.

O'r diwedd, daeth y wers i ben ac arhosodd – fel y gwnâi o hyd – nes i bawb adael, cyn caniatáu i'w llygaid agor. A dyna lle roedd hi'n edrych arni, a'i gwên fel gorwel. Gafaelodd yn ei llaw a'i chodi oddi ar y bwrdd, nes ei bod yn sefyll yn noeth o'i blaen. Syllodd y ddwy ar ei gilydd am ennyd, cyn symud yn nes a chlymu yn un bendigedig, diddiwedd yng nghanol yr ystafell fawr wag.

Meistres

Dyma'r diwrnod, roedd hi'n sicr o hynny. Dyma'r diwrnod ro'n nhw wedi bod yn dyheu amdano. Fo a hi.

* * *

'Cadi, cer â hwn at dy feistr! Fuodd e'n pigo fel dryw dros ei ginio. Ceisia weld os alli di ei demtio gyda gellygen felys.'

Os oedd coegni yng ngeiriau Lliwen y Fron nid oedd yn ymwybodol ohono.

'Gwnaf fy ngore,' atebodd Cadi. Roedd hi'n falch o fod yn rhydd o'r gegin a'i mwg a'i hoglau ceulo. Aeth allan drwy'r drws ar frys, ei gwallt melyn yn sboncio o dan ei het. Pranciodd ar hyd llawr y cyntedd gwellt a phridd, gan godi godrau ei sgert bob hyn a hyn rhag y gwaetha o'r baw.

Wrth ddrws y neuadd, stopiodd.

'Mae gen i rywbeth i Dywysog Llywelyn,' meddai hi.

Ffroenodd Maelgwn yr Hyd yr awyr yn uchel.

'Blasus iawn.' Llyfodd ei weflau tewion a cheisiodd Cadi guddio ei hatgasedd. Nid am y tro cyntaf, gresynodd na fyddai'r gwas hwn yn 'molchi cyn amled â'i feistr.

Clywodd Cadi am ryw ferch yn sôn am ryw ddyn oedd yn mynd â'i gwynt. Ochneidio'n ddwfn a wnaeth hi wrth weld Llywelyn gyda'i ddynion, yn ben ar y bwrdd. Anadlu allan lond ei hysgyfaint mewn rhyddhad ei fod e yno, yn gig a chnawd, yn ddyn go iawn o gluniau bras a dwylo mawrion a'i wefusau yn wlyb a'i dafod yn barod.

'O'r gegin – rhywbeth bach, f'Arglwydd.' Roedd Cadi'n ymwybodol o'i geiriau. Gwyddai mai digon diflas fyddai ei dyfodol heb Llywelyn ap Gruffudd. Nid oedd hynny o beth yn ei gwneud yn wahanol i weddill ei rhyw.

Clywodd y dynion yn chwerthin wrth i Llywelyn gamu tuag ati.

'Dywed wrth Lliwen y Fron nad oes chwant ei bwyd arna i heddiw,' sibrydodd, ei wallt tonnog yn cyrlio fel gwên. Gwên oedd yn ddigon i wneud i goesau grynu, i ferched llai gwybodus na Chadi lewygu.

'O'r gore,' meddai Cadi.

Roedd e'n fwy golygus na'r un dyn arall yn y deyrnas. Na! yn yr hollfyd, yn ôl y rhai oedd yn gwybod am y pethau hynny. Tywysog dynion ydoedd ac roedd e ei heisie hi!

Roedd Cadi'n ofalus iawn i beidio â gwenu, er mai dyna y byddai hi wedi hoffi'i wneud. Gwenu arno lond ei cheg. Gafael ynddo a'i gusanu. A pheidio byth, byth â'i ollwng. Yn hytrach, gostyngodd ei phen mewn gwrogaeth gan godi ei haeliau'n wylaidd i bipo arno a'i ddal yn edmygu'r bronnau yr oedd hi wedi eu gosod mor ysblennydd a phwrpasol yn ei ffrog y bore hwnnw. Mentrodd wenu, gwên fach o wahoddiad oedd yn addo dim. Pwy feddyliai y byddai ganddi, yn ddwy ar bymtheg, y fath ddoniau? Y tu mewn iddi, teimlai natur wyllt Ewythr Owen yn codi ynddi.

Petai Llywelyn yn ddyn cyffredin, byddai wedi taflu ei hun i'w freichiau cyhyrog, ei gusanu'n wyllt a gadael iddo godi ei ffrog a chwilio gyda'i fysedd am y . . . Stopiodd. O, pe na byddai hi'n forwyn . . . Pe na byddai e'n dywysog Cymru . . . A fyddai hi ei eisiau wedyn?

Roedd hi'n ifanc, oedd, ond doedd hi ddim mor ffôl ag ewyllysio ei bywyd i ddifancoll. Ac roedd hithe ac Ewythr yn rhy gall i ganiatáu hynny. Pa ots os oedd gan ddyn fel hwn wraig? Onid gwraig mewn enw yn unig oedd hi, ymhell i ffwrdd mewn carchar yn Windsor? Beth oedd yntau i'w wneud os nad oedd ei wraig yn gallu rhoi pleser iddo? Dyn ydoedd, fel pob dyn arall. Gallai gael unrhyw fenyw yng Nghymru. Ond roedd e eisie Cadi . . .

Roedd meddwl am hynny'n gwneud iddi wrido fel pedol boeth. Ni ddiflannodd y wên pan ddychwelodd i'r gegin, a chododd Lliwen y Fron ei phen o'r llestri i syllu arni.

'Well i ti beidio â gadel i dy feistri dy weld yn cochi fel'na neu mi fyddan nhw'n siŵr o ddyfalu beth sy yn dy galon di.'

'A beth yw hynny?' gofynnodd Cadi'n chwareus.

Ni wridodd y ddynes frith, ond sylwodd Cadi ar y cryndod yn ei dwylo.

'Paid â bod mor ddigywilydd!' atebodd, ac anelu chwip lliain at ben-ôl Cadi.

* * *

Roedd Cadi wrth ei bodd â miri'r ddawns. Câi morwyn landeg fel hithau fod yn agos at ddynion y llys heb i Ewythr weld yn chwith. Yn wir, roedd Ewythr Owen yn ei hannog. Roedd digon o fechgyn ifanc oedd yn barod i gynnig eu llaw i Cadi, a gwyddai fod hynny'n creu cynnwrf mewn calon genfigennus fel un Llywelyn. Ac roedd cyfle i wledda'n brin ers tro gyda'r Tywysog Llywelyn yn colli cefnogaeth arglwyddi'r Mers.

Ar ôl yr hwyl, eistedd yn swp o chwys a llawenydd a chyfle i'r Tywysog gyfarch ei lys. Llwyddodd Cadi i'w wylio'n ofalus heb edrych arno unwaith ac roedd wrth ei bodd gyda'i sioe yntau o sylwi ar bawb ond arni hi. O'r diwedd, daeth ati, fel y gwyddai y gwnâi, gyda'r esgus o ofyn am fedd.

'Efo Sais fuest ti'n cwffio?' Sylwodd ar y clais ar ei boch er i Cadi wneud peth ymdrech i guddio'r briw â fflŵr.

'Methais weld cornel y pantri – mae carreg fawr yn ymwthio ohono. Ond daeth y garreg o dros y ffin, cyn cael ei dofi'n dŷ preswyl i dywysog, felly falle y gellid dweud i Sais darfu arnaf . . . '

'A phwy ddaru drechu? Ti ynteu'r Sais?' Hyd yn oed

mewn chwarae, gwelodd genfigen yn ei wrid a thynnodd arno –

'F'Arglwydd a ŵyr orau. Ond rwy'n synnu bod angen iddo ofyn.'

Chwarddodd Llywelyn yn gwrs dros y lle. 'Sut allai boneddiges oedd yn byw fel lleian blesio hwn?' meddyliodd Cadi. Rebel oedd cyn hapused yn byw o dan do'r awyr ag yr oedd mewn unrhyw un o lysoedd Gwynedd? Camodd yn agosach nes ei fod yn anadlu'n ysgafn ar ei gwar.

'Dwi wedi ceisio 'ngorau i beidio ag edrych arnat . . .'

Gwgodd Cadi. Chwarae oedd y cyfan.

'Be sy, fy angyles fach i?'

'Flin gen i os nag wy'n plesio fy meistr.'

A pharodd hynny iddo chwerthin yn galetach fyth. Ar ôl hynny, byddai'n teimlo pwysau ei edrychiad arni, yn gynnes fel cusan, a doedd ots yn y byd ganddi nad oedd yn llwyddo bob amser i guddio gwefr ei chalon. Pe deuai'n fam i etifedd Llywelyn, yn wraig iddo, byddai'n rhaid i bawb foesymgrymu iddi, gan gynnwys Ewythr. Gwell pe byddai wedi cadw hynny iddi'i hun o gofio'r bonclust a gafodd.

*   *   *

Daeth ati tra oedd hi ar ei chwrcwd yn sgubo glo gwelw tân ddoe yn ei stafell. Ni ddywedodd ddim o'i gweld ar ei phedwar, â'i phen-ôl yn bert yn yr awyr.

Roedd yr 'Mmmm . . . ' a ddaeth o'i wefusau i'w glywed yn glir.

Yn reddfol, gwnaeth Cadi ystum fel petai i godi, ond stopiodd Llywelyn hi.

'Rwyt ti'n ddel iawn fel ag yr w't ti . . . Ga i?'

Roedd hi'n gwybod beth oedd arno ei eisie, beth oedd ar y ddau ohonyn nhw ei eisie. Am unwaith, pallodd ei ffraethineb.

'Fy mysedd, maen nhw'n ddu . . . ' meddai'n ysgafn.

'Gad i mi wneud rhwbath i chdi am unwaith.' Roedd sŵn dieithr yn ei lais, fel petai'r geiriau'n sownd fel medd yn ei wddf.

Ni allai Cadi weld ei wyneb, ond yn ei dychymyg gwelai'r hen ddireidi yn ei lygaid gloyw, y blew garw o gwmpas ei geg wedi'u trin yn ofalus â dannedd y gyllell. Teimlodd y cynrhon yn ei bol a daliodd ei gwynt i geisio peidio â chwerthin. Y teimlad nesaf oedd ei law yn erbyn ei chroen noeth wrth iddo dynnu ei sgert i fyny, fesul tipyn. Roedd croen ei law yn galed yn erbyn croen ei choes, yn erbyn croen ei chlun.

'Rhaid ei bod hi'n boeth wrth y tân yna.' Clywodd y wên yn ei lais; roedd y grât yn oer.

'Cythreulig!' Roedd Cadi'n falch o'r esgus a chwarddodd yn rhydd. Rhaid ei fod yn ei charu: rhaid ei fod yn ei charu i fentro fel hyn!

Teimlodd ei law ar ei dilledyn isaf a melltithiodd nad oedd gwneuthuriad hwnnw o well ansawdd.

'Rwy'n disgwyl fy meistres unrhyw funud,' meddai Cadi gan anadlu'n ddwfn.

'Gwelais Lliwen y Fron yn y cyntedd. Roedd hi geg-yng-ngheg â Dafydd Gigydd ac yn chwerthin fel hogan fach.'

Tynnodd y dilledyn yn araf bach, ac yna gallai Cadi deimlo'r awyr yn fain ar ei phen-ôl, y dywedid amdano ei fod yn fawr fel pwmpen felys. Meddyliodd am y Tywysog Llywelyn yn ei gweld yn ei gogoniant, a gwridodd. Yna, fe'i clywodd. Ochenaid fawr, ebychiad o sioc.

'F'Arglwydd, ro'n i wedi anghofio,' meddai Cadi yn swp o gywilydd. (Anghofio am eiliad yn ei gwmni e, achos pwy allai anghofio'r wers gafodd hi gan Ewythr y bore hwnnw?)

'Y pantri yna eto?'

'Rwy'n ddiofal iawn.'

'Yn sicr, mae 'na rywun sy'n meddwl hynny.'

'Rhaid ei fod yn iawn 'te, achos mae Duw yn gweld pob peth ac nid yw'n rhwystro cefn ei law rhag gweithredu.' Diolchodd Cadi nad oedd ganddi'r adnabyddiaeth orau o Dduw, achos nid oedd yn siŵr beth fyddai hwnnw'n ei feddwl ohoni fel oen bach, ar ei phedwar, a bochau ei phen-ôl yn noeth ac yn goch ac yn gyrru Tywysog Cymru yn floesg ei dafod.

'A be yw dy gam?' gofynnodd Llywelyn.

'Nid wyf bob amser yn gwrando – nid yw hynny i ddweud nad wyf yn ceisio, nad yw'r bwriad yno, ond mae teimlade yn dod ar fy nhraws sy'n golygu nad wyf yn gweithredu yn ôl dymuniad fy . . . carreg y pantri.'

Chwarddodd Llywelyn.

'Onid wyt ti'n meddwl y dylet wrando ar orchymyn dy feistr?'

'O, ydw. Ond dim ond un meistr sydd gennyf, Tywysog Llywelyn.'

Ochneidiodd Llywelyn yn uchel.

'Cadi, rwyt ti'n fendigedig!' A theimlodd Cadi wefr o wybod ei fod yn meddwl hynny.

Clywodd ddefnydd yn siffrwd am eiliad neu ddwy a'r gwynt oer rhwng ei choesau yn gwneud iddi wingo'n bleserus. Yna gafaelodd Llywelyn ynddi, mewn man annisgwyl, gerfydd ei phenelin a'i chodi, nid ar chwarae bach, hyd yn oed i ferch hoenus, ar ôl bod yn penlinio cyhyd. A hithe ar ei thraed, tynnodd hi ato'n dynn. Roedd ei wefus yn dew ac yn felys. Symudodd i lawr at ei gwddf gyda blaen ei drwyn, gan anadlu'n ddwfn ar hyd ei chroen a gyrru ias drwyddi.

'Mmmmmm . . . ' Llygadodd ei bronnau, yn fach ac yn sionc o dan y brethyn. Teimlodd ei law o dan ei sgert, yn sioc bleserus.

'F'Arglwydd, byddwch ofalus gyda'ch morwyn,' ochneidiodd Cadi.

Deallodd ei hystyr yn syth, 'Os byddai'n well gen ti aros . . . '

Roedd ar flaen ei thafod i weiddi, 'Na!', na fedrai aros yr un funud arall, pan ddaeth Maelgwn yr Hyd trwy'r drws â'i wynt yn ei ddwrn. Roedd ei weld yn bleser i Cadi. Oni fyddai pawb yn y llys yn gwybod nawr? Sobrodd Maelgwn o'u gweld,

'F'Arglwydd . . . Maddeuwch i mi . . . Ni fyddwn . . . ond – mae gen i newyddion. Newyddion am delerau'r Brenin Edward . . . '

Ar hynny, gollyngodd y Tywysog Llywelyn ei afael ar ei angyles fach, Cadi, yn glatsh.

* * *

Dyma'r diwrnod, roedd hi'n sicr o hynny. Dyma'r diwrnod ro'n nhw wedi bod yn dyheu amdano. Fo a hi.

Roedd y wên ar ei wefus yn peri i'w lygaid ddawnsio fel lanterni. Daeth ati yn y cyntedd heb arlliw o esgus ac yng ngŵydd pawb. Bu bron iddo sgubo Cadi oddi ar ei thraed, fel mewn breuddwyd.

'Mae gen i newyddion ardderchog!'

'Gwyddwn y byddai,' meddai hithau'n gyffrous.

'Mae dy feistras yn dychwelyd.'

'Meistres?' Ni ddymunai Cadi fod yn feistres i neb. Yn fam, ie. Mam i frenin cyntaf Cymru. Ac yn dywysoges . . .

'Y Foneddiges Eleanor de Montfort! Mae'r Brenin Edward wedi cytuno i'r briodas! Ti'n gwybod be mae hyn yn ei feddwl?'

'O, ydw.' Ac roedd min yn ei geiriau. Ni welodd ei siom wleidyddol yn ei groen gwelw. Ond celu oedd un o ddoniau Llywelyn.

'Wel, tyrd 'te – i ni gael dweud y newyddion wrth y

llys.' Ac roedd rhywbeth yn ei oslef yn dangos iddi ei lle. Moesymgrymodd Cadi a phan gododd, gwelodd ef yn brasgamu tua'r neuadd a'r dynion. Sythodd Cadi ei sgert yn dwt a cherddodd yn bwyllog at stafell y morynion ble y gwyddai y byddai Lliwen y Fron eisoes yn gwybod y cyfan.

* * *

Dyma'r diwrnod, roedd hi'n sicr o hynny. Dyma'r diwrnod ro'n nhw wedi bod yn dyheu amdano. Fo *et elle*.

Hithe'n fwy na fo mae'n rhaid, achos beth arall oedd i gyfri am y ffaith iddi orfod disgwyl tair blynedd amdano? Teimlodd Eleanor ei chynddaredd yn ei phigo, yn gymysg ag ofn. Roedd y gaer wedi dod yn gartre iddi, y carchar yn fan diogel. Pwy arall ond y cerrig o'i chwmpas oedd wedi ei hamddiffyn dros gyfnod mor hir? Nid Llywelyn. Roedd hwnnw wedi ei siomi hi, nid unwaith ond dwywaith. Ni chododd hwnnw ei gleddyf i ymladd amdani, a hynny er y gwyddai pawb ym mhedwar ban am ei barodrwydd i ddefnyddio grym i gipio'r dywysogaeth oddi wrth ei frawd.

Clywodd sŵn caled, fel cleddyf yn atseinio ar garreg. Curiadau traed dynion Llywelyn yn agosáu ar hyd y cyntedd caregog. Yna, heb ffanffer o unrhyw fath, heb ffŷs, dyna fe, yn ei hwynebu. Dyn ei breuddwydion yn ddyn o gig a gwaed.

Roedd e'n olygus, doedd dim dwywaith am hynny.

Roedd hi'n rhy gall, ac yn rhy grac, i adael i'w lygaid gloyw ei thwyllo am y trydydd tro. Roedd hi am eistedd yno'n llonydd fel carreg nes ei fod e wedi dweud ei ddweud. Ond ddwedodd e'r un gair, dim ond edrych arni gyda gwên ddwl ar ei wefusau, fel ci bach ar goll.

Yn ei styfnigrwydd, syllodd Eleanor yn ôl. Hawdd iddo edrych arni nawr ac yntau wedi bod hebddi ers cyhyd, heb orfod cymaint â meddwl amdani.

'Rhyfedd dy weld, a finnau'n cofio'r hogan fach,' meddai'n syml.

'Mae carchar yn heneiddio dynes,' atebodd hithau.

'Rhaid bod gennyt gyfansoddiad cryf felly. Nid yw dy stori i'w gweld mewn llinellau ar wyneb.'

Roedd hi'n falch iddi gadw llawnder ei chorff.

'Ces fy nhrin yn gwrtais gan dy elynion,' poerodd.

'Ho-ho!'

'Ydw i'n difyrru'r Tywysog Llywelyn?'

'Gwn fy mod am gael gwraig deg. Roedd gennyf ofn gobeithio am gymar cyfartal.'

Wrth gwrs. Dyma Llywelyn yr ymladdwr cryf, gwarchodwr dewr ei wlad. Doedd hwn ddim yn ofni mynd i frwydr. Yn wir, roedd yn chwilio am gynnen. Os na fyddai'n ŵr triw, meddyliodd Eleanor, o leiaf byddai'n gwmni difyr.

'Roedd y ffordd yn hir. Ga i eistedd?' gofynnodd, gan estyn ei llaw yn ddi-hid. Sedd fechan oedd honno islaw'r ffenest, ac roedd hi'n ymwybodol iawn o'i gorff dieithr, corff dynol yn gwasgu yn ei herbyn.

'Chest ti mo dy dreisio?'

Roedd Eleanor yn hoffi siarad plaen; fel'na y bu hi rhyngddi hi a'i brawd, Amaury, erioed. Ond fe'i synnwyd gan uniongyrchedd Llywelyn.

'Naddo,' atebodd, yn swil am y tro cyntaf.

'Fe fyddwn wedi rhoi unrhyw beth am dy ryddhau.'

'Pam na ddest ti 'te? Oedd cymaint o ofn Gruffudd, Arglwydd Powys, a dy frawd, Dafydd, arnat?'

'Tywysog Gwynedd ydw i rŵan. Mi roddais Gymru amdanat . . . ' Cynigiodd iddi ei law, 'Awn ni adra?'

Nodiodd hithe ei phen, wedi ei syfrdanu. Nid âi adre i Ffrainc nes bod Llywelyn yn ei fedd, ond fe âi gydag e i Gymru. Teimlai ei llaw yn fach yn ei gledr yntau, ond roedd ei afael yn gynnes.

*   *   *

Ar ôl taith galed, cafodd lonydd gan Llywelyn ar ei noson gyntaf yng Nghymru. Ond yn fuan ar ôl swper ar yr ail noson, daeth y brif forwyn, Lliwen y Fron, ati gyda chais gan yr Arglwydd am ei chwmni. Aeth Eleanor yn ufudd.

'Fuodd yna neb i mi. Fedri di ddweud yr un peth?' gofynnodd iddo, a hwythau'n eistedd ochr yn ochr, fel o'r blaen.

'Dwi'n ddyn.' Bron nad oedd yna ddiniweidrwydd yn ei lygaid yn ymddiheuro am hynny. Ond go brin!

'A finne'n fenyw ifanc,' atebodd ei ergyd.

Rhaid ei fod yn hoffi ei wrthwynebydd newydd.

Roedd yna dân yn ei ddweud a theimlodd Eleanor gyffro'r ymrafael.

'Fuest ti'n meddwl amdana i, a thitha'n unig fin nos?'

'Mae gan f'Arglwydd dipyn o feddwl ohono'i hun. Pwy a ŵyr na allwn feddwl am ddim ond yr oerni?'

Roedd e'n anadlu ar ei gwddf, gan yrru saethau o gynnwrf ar hyd ei chorff.

'Mwy o reswm fyth i feddwl am dy ŵr yn aros yn ddiamynedd.'

'Ym mreichiau rhyw forwyn, debyg iawn.'

Cododd Llywelyn ei ben i edrych arni a syllu i fyw ei llygaid.

'Does yna neb ond chdi rŵan.'

Gwyliodd ei fysedd trwchus yn tynnu ei broetsh oddi ar ei brest, gan ofalu peidio â chael ei bigo gan yr aur miniog.

'Anrheg gan fy nhad i fy mam,' esboniodd Llywelyn.

Rhoddodd y froetsh fach i orwedd yn barchus ar glustog. Yna, tynnodd Llywelyn ddefnydd sidanaidd ei gŵn i ddangos ei bronnau, y tethi'n galed fel pigau yn yr oerni. Claddodd ei ben yn erbyn ei chroen a chusanu a sugno'n hir nes bod ei chorff yn binnau i gyd. Gallai Eleanor ei deimlo'n galed yn erbyn ei choes, ond rhaid ei fod yn synhwyro ei swildod.

'Dwi'n barod iawn i aros amdanat ti,' meddai'n annisgwyl.

Nid oedodd Eleanor.

'Rwy' wedi aros digon.'

Safodd, gan nodio'i ben. Yna, tynnodd ei drowsus bach nes ei fod yn noeth o'i blaen. Cododd ei sgert a gorweddodd yn drwm ar ei phen. Rhoddodd ei fysedd yn ei geg ac yna rhwng ei choesau, ond doedd dim angen gan ei bod hi'n wlyb eisoes ac yn barod amdano.

'Dwi'n dy garu di Eleanor,' ochneidiodd.

'*Je t'aime*, Llywelyn,' adleisiodd hithe.

* * *

Roedd gan y Foneddiges Eleanor ŵn emrallt o ddefnydd main, oedd yn ġweddu i'r dim i'w llygaid gloyw. Roedd gemau ei broetsh yn disgleirio yn erbyn croen gwelw ei gwddf main. Dywedwyd iddi gael y froetsh yn anrheg gan Llywelyn cyn cychwyn o'i chartre yn Ffrainc am Gymru ac iddi ei hanwesu yn ystod y dyddiau hir pan oedd hi yn y carchar, gan bigo ei bys bob hyn a hyn pan oedd angen ei hatgoffa bod eu priodas yn real. Roedd pigiadau bach ar hyd ei braich hyd heddiw, medden nhw, a gellid eu gweld fel ôl pry ar bren, dim ond i rywun graffu'n ddigon manwl. Ond doedd Cadi ddim yn credu popeth roedd hi'n ei glywed yn y llys, yn enwedig o gofio beth a ddywedwyd amdani hi. Roedd un peth yn wir am Feistres Eleanor. Roedd yna fwy iddi na'r hyn oedd i'w weld ar yr olwg gyntaf. Daeth un cudyn o wallt fflamgoch i gosi ei thalcen oddi tan ei phenwisg daclus. Ond gwrid ei boch oedd yn ei bradychu –

sibrydai gyfrinachau gŵr a gwraig a pheri i Cadi wrido.

'Byddwn yn ffrindiau, gobeithio,' meddai Eleanor yn ddieithr.

Roedd Cadi'n barod iawn ei chyrtsi . . . Yn wir, moesymgrymodd am eiliad neu ddwy'n hwy nag oedd yn gwrtais, fel na fu'n rhaid i'r Feistres newydd weld y natur Gymreig yn ei gwg.

Ystafell 35

Mae'n anodd dweud faint ydi oed y dyn efo'r pidyn bach. Mae'n ymddangos yn hyderus, yn orhyderus efallai, ond dwi'n gallu ei weld o fel nad oes neb arall yn ei weld o. Fel rŵan. Mae gen i o i gyd i mi fy hun y munud yma, a dyna pryd y caf weld bod ganddo lond sach o ansicrwydd fel pob meidrolyn arall. Mae'n ddyn eithaf golygus am ddyn canol oed, ac yn ariannog yn ôl y siwtiau y bydd o'n eu gwisgo i ddod yma. Dydi'r lle 'ma ddim wedi arfer â rhywun mor gefnog â hwn. Rhy botel Merlot, goriadau'r BMW a goriadau 'Ystafell 35' ar y bwrdd bach wrth y teledu. Yr un yw'r gwin bob tro – mewn potel *screw top*, er mwyn arbed dod â *corkscrew* efo fo, am wn i.

Daw neges iddo ar ei ffôn. Mae'n ei darllen â gwên cyn rhoi'r ffôn i lawr wrth ochr y gwin. Tyn ei siaced a'i hongian hi'n ofalus ar y bachyn uwchben yr arwydd 'Rheolau Tân' ar gefn y drws. Bu yma droeon heb erioed ddarllen y cyfarwyddiadau. Mae'n ymddangos yn ddyn sydd wedi hen arfer delio ag argyfyngau heb gymorth neb, diolch yn fawr.

Mae'n edrych ar ei oriawr. Yr un drefn bob tro. Mae gen i syniad go lew beth sydd am ddigwydd erbyn hyn. Yr unig beth nas gwn i ydi pwy yn union ddaw yma ato fo ar brynhawn dydd Mercher fel hyn. Mae'n mynd i'r ystafell ymolchi. Hon yw un o'r ystafelloedd *en suite* rhataf yma am ei bod yn wynebu cledrau'r rheilffordd ac o'r herwydd yn swnllyd. Ond nid yw'r dyn yn bwriadu cysgu yma. Anaml iawn y bydd yn defnyddio'r gwely o gwbl. Estynna am y gwydr plastig o'r sinc gan dynnu'r seloffen sy'n ei amgylchynu, a'i lenwi â dŵr. Tyn dabled fach las o boced ei drowsus. Edrycha arni. Mae o fel arfer yn ei thorri yn ei hanner. Efallai ei fod yn poeni bod ei bwysedd gwaed fymryn yn uchel, ond heddiw, mae'n teimlo ar ben ei ddigon.

Mae'n edrych arno'i hun yn y drych am ennyd, yn ochneidio, ac yna'n llyncu tabled gyfan a gwagio'r gwydr plastig. Mae'n edrych ar ei oriawr eto. Mae angen amser i'r dabled wneud ei gwaith. Daw yn ôl at y gwely. Mae drych hir wrth ymyl y gwely. Mawredd yr ystafell hon iddo yw'r drych, er gwaetha'r crac bach ar ei waelod. Mae'n ei astudio'i hun, gan gymryd anadl ddofn, troi i edrych ar ei broffil a dal ei fol i mewn. Try eto a dod yn nes at y drych. Rhed ei law'n chwareus drwy ei wallt gan grechwenu. Mae'n ysgwyd ei ben yn araf gan ei edmygu'i hun. Heddiw, mae o ar delerau go dda efo fo 'i hun.

Pyla'r wên wrth i'w ffôn ganu'n ddisymwth. Gobeithio nad oes cymhlethdodau rŵan ac yntau wedi aberthu prynhawn cyfan. 'Ti'n iawn, Manon? Ti yma? Reit dda. Parcia wrth fy nghar i yn y cefn. Neith neb ei weld o'n fan'na. Ti'n iawn blodyn? Stafell tri deg pump eto. Brysia 'mach i . . . ' Mae'n sgrolio drwy'r ffôn gan ddiffodd sain ei negeseuon tecst. Rhag ofn.

Edrycha ar ei oriawr. Daria! Mae hi hanner awr yn gynnar. Roedd o angen mwy o amser. Rhuthra i'r ystafell ymolchi a thynnu'r botel fach Lysterine o'i boced a garglo'n sydyn. Daw'r gnoc fach swil ar y drws. Mae'n torri gwynt yn sydyn ac yna'n agor y drws iddi a'i chofleidio'n gynnes.

Dim ond unwaith welais i hon o'r blaen, a hynny'r wythnos diwethaf. Mae hi'n wahanol i'r lleill, yn hŷn a'i dillad yn ddrutach. Mae hi bron yn ddel – o bell. Yn agos, mae ei hwyneb yn fain a'i gwallt fel gwymon gwlyb am ei phen. Ond mae ei chorff yn siapus, yn siapus tu hwnt. Pe na bai raid edrych ar ei hwyneb, byddai'r dyn efo'r pidyn bach yn ei elfen. Ond gŵyr yntau fel yr hoffa'r ferch iddo syllu i fyw ei llygaid. Ac felly, er mwyn rhoi'r argraff ei fod yn ei charu, mae'n ei orfodi ei hun i wneud hynny bob hyn a hyn. Yn achlysurol iawn, pan fydd angen anogaeth arni, mae'n dyrchafu ei lygaid yn dreiddgar a graddol o'r coesau hirion, i fyny at driongl torchog ei blew mân. Yna, mae'n oedi ennyd ar y ddwy deth fel llygaid llo yn syllu arno cyn codi ei olygon yn anfoddog at y llygaid pŵl.

Aiff y dyn efo'r pidyn bach drwy'r un rigmarôl wythnosol, dim ots pa ddynes. Mae'n tollti'r gwin ac yn ymddiheuro am yr ystafell: 'Ond dyma'r lle saffa yn 'dre, wel'di. 'Sa Bethan byth yn f'ama i o ddod i le fel hyn. 'Swn i wrth fy modd yn mynd â chdi i le gwell, i

102

le fasa'n gweddu'n well i ti, ond dwi'n cerdded y lein go iawn. Mae hi'n f'ama i ac yn gwylio pob cam dwi'n 'i gymryd. Rho amsar i mi, ac mi gei di'r cyfan. Dwi'n dy garu di.' Mae'n eistedd wrth ei hymyl ar waelod y gwely a'i gwrlid lliw chŵd, a'i holi'n dyner am ei hynt a'i hanes. Mae hi'n dechrau snwffian a deud:

'Mae'n ddrwg gen i am w'sos dwytha. Dwn i ddim be ddaeth drosta i. Dwi'm 'di arfar gneud hyn 'sti. Dwi'n gaddo peidio gneud *scene* tro 'ma. Dwi'm yn arfar bod mor goman a *loud*. Ro'n i'n f'atgoffa fy hun o'r hogan 'na yn dy swyddfa di. Be 'di 'i henw hi eto?'

Cwyd y dyn ei ysgwyddau'n ymddangosiadol ddifater. Sylwa gyda pheth diflastod fod ei thrwyn yn troi'n domato coch gloyw o dan lenni ei gwallt. Â'r tomato yn ei blaen:

' . . . Enw coman fel Tracy, neu Lucy . . . '

'Nicky?' cynigia'r dyn yn betrus.

'Ia, Nicky. Dwi'n ei chlwad hi cyn ei gweld hi, mae ganddi lais mor anffodus. Sut fedri di weithio yn yr un swyddfa â hi? Sut fedra unrhyw ddyn 'i ffeindio hi'n rhywiol efo llais fel'na? Mae gen i bechod drosti. Oes, go iawn rŵan. Druan ohoni . . . Na, na . . . dim mwy o win heddiw, cariad. Dyna wnaeth fi'n ddagreuol w'sos dwytha. O, o'r gora ta, os w't ti'n mynnu. Ti'n ddrwg. Ti mor, mor ddrwg . . . Mae dy ffôn di'n canu, cariad. Pam nad w't ti am 'i atab o? Nicky sy 'na? Ti isio i mi atab o?'

Mae'r dyn efo'r pidyn bach yn cythru am y ffôn.

'Helô . . . Na fydda i ddim yn ôl yn y swyddfa tan

fory. Oes 'na broblem? O *shit* . . . Be ddudes di? Da iawn ti. Ma' 'na rwbath yn glyfar ynot ti weithia. Ia, iawn, ddo i allan ohoni rwsut . . . Ia, ia, ti'n iawn. Bloda. Bryna i floda iddi, er dwn i'm pryd ga i gyfla heddiw . . . O, 'nei di? Diolch, 'r aur. Ti'n werth y byd. Mi bicia i draw i'w nôl nhw ar ffor' adra. Ia, gwaria rhyw bum punt ar hugian. Dala i di'n ôl wedyn.'

Rhy'r dyn efo'r pidyn bach y ffôn ym mhoced ei drowsus a sipian ei win. Mae'n ceisio rhagweld y cwestiwn nesaf. Fe ddaw fel bollten:

'Nicky . . . ?'

'Ia.' Roedd rhyw ryddhad prin o ddweud y gwir weithiau, ond i ble yr âi hyn rŵan?

'Ydi Nicky yn gwbod lle wyt ti?'

'Nadi siŵr.'

'Ydi dy wraig di?'

'Na.'

'Ond mae hi'n gwbod nad wyt ti yn dy swyddfa.'

'Ydi, rŵan. Ro'n i 'di anghofio ei bod hi'n ben-blwydd priodas arnon ni. Mi ga i *hell* ar ôl mynd adra. Dw't ti'm yn gwbod sut beth ydi o, Manon.'

'Ac mae Nicky, chwara teg iddi, am achub y dydd. Yn tydi hi'n gariad, yn werth y byd . . . '

'Gwranda, blodyn. Dwi ddim wedi dod yma i siarad am Nicky. 'Di Nicky'n golygu dim i mi.'

'A dyna pam ti'n galw hi'n "'r aur", ia?'

'Gwranda, Manon. Tydi Nicky ddim digon da i lyfu dy sgidia di.'

'Dweda hynny eto. Dwi angen y sicrwydd cymaint. Gafal ynof fi.'

'Pam w't ti'n fy ama i, blodyn? Pam w't ti'n meddwl mod i'n risgio pob dim sydd gen i – fy swydd, fy nhŷ, fy ngwraig, fy mhlant? Y? Am 'mod i'n byw i dy weld di, i dy deimlo di fel hyn. Fel hyn ti'n licio yndê, Mans? Ymlacia, blodyn. Fel hyn, ia? Tyn dy ddillad i mi'n ara bach. Ty'd 'laen. Safa'n fa'ma – o flaen y drych. Mi 'stedda i y tu ôl i chdi yn d'addoli di . . . Na, paid â deud dim. Jyst gwna fel dwi'n deud – dyna hogan dda. Tynna dy ddillad, un wrth un, a sbia arna i yn y drych – i fyw fy llygaid wrth wneud – ac mi weli di faint dwi'n dy awchu di. Ia blodyn, fel yna'n union. Cymra d'amser. Mae gennon ni drw' pnawn. Blydi hel, ti'n ddel. Ti'n ffycin gorjys! Chei di neb i dy garu di fel fi. Ti'n dallt hynna'n dw't? Rho dy hun i mi, Mans. Na – paid â dod ata i – dwi ddim yn barod eto. Dwi angan mwy o amsar . . . mwy o amsar i dy edmygu di, i dy addoli di. Ti yw fy nuwies. Mi fydda i'n breuddwydio amdanat ti bob nos, blodyn. Lle gest ti'r bais fach ddu 'na? Does na'm byd fel dillad isa du. Mae'n dy ffitio di fel manag. Tyn hi'n ara bach. Na . . . yn arafach. Ia, ia . . . fel'na'n union. Does dim brys. Wyt ti'n wlyb, blodyn? Wyt? Ro'n i'n ama dy fod ti. Ffycin hel, tasa'n ffrindie fi'n 'y ngweld i rŵan. 'Sa nhw'n ded jelys. Ti'n berffaith, Mans. Plyga lawr o flaen y drych 'na. Lleda dy goesa. Ti'n barod amdana i? Wyt? Achos dwi'n barod o'r ffycin diwadd. Ffycin hel – ti'n socian, blodyn. Welish i neb fath â ti. Ti'n wlyb. Ti'n rhy wlyb.

Ffyc sêcs, ti mor wlyb – fedra i ddim dy ffwcio di . . .
Ond 'dio'r ots. Ti yw fy nuwies – mi ro i bleser i ti. Pan
fydda i'n marw, mi fydda i'n meddwl amdanat ti.
Cofia hynny . . . '

Mae'r dyn efo'r pidyn bach yn dda efo geiriau, fe ro
i hynny iddo. Rydw i wedi clywed y sgript sawl gwaith
o'r blaen a phob merch yn llyncu pob sill. Mae pob un
ohonyn nhw'n meddwi ar ei eiriau, yn enwedig pan
ddywed y bydd yn meddwl amdanyn nhw pan fydd
o'n marw. Pam, tybed, mae honna'n llinell mor
chwdlyd ac eto mor effeithiol? Mae'r ffôn yn canu eto
ac mae'r dyn yn ceisio codi ei drowsus ac yn neidio fel
mewn ras sachau i'w ateb. Rhag ofn mai ei wraig sydd
yno. Gwêl ei henw. Bethan. Dwy flynedd ar hugain yn
ôl i heddiw y priododd o â hi. Bethan a fu'n fam mor
dda i'w blant o. *Shit.* Beth mae o am ei wneud? Mae
ei feddwl yn rasio. Lle fedar o ddeud mae o? Nid yw
ei feddwl yn gweithio'n ddigon cyflym. Daw canu'r
ffôn i ben. Bydd rhaid iddo ei ffonio'n ôl mewn
munud a meddwl am esboniad call. Mae'n troi at y
ferch noeth o'i flaen, a daw tonnau trydanol o boen
drosto. Mae hi'n dweud rhywbeth wrtho, ond nid
yw'n ei chlywed. Try yn ôl at y ffôn a cheisio dileu rhai
o'i negeseuon. Negeseuon Nicky, Janine, Sharon . . .

Daw'r ferch â'r gwallt gwymon gam yn nes ato. Ni
all gofio ei henw. Mae ei lygaid yn ymbil arni i'w
helpu. Mae'n rhaid dileu'r negeseuon ffôn. Mae'n
rhaid. Ond dydi hi ddim yn symud. Mae hi'n syllu
arno'n syfrdan. Daw un gair o'i enau cyn y tywyllwch.

'BETHAN!' Daw ton arall o boen dirdynnol drosto ac yna syrthia'n un swp diurddas i'r llawr a'i lodrau'n hualau am ei fferau.

Dydi hyn erioed wedi digwydd yn f'ystafell i o'r blaen. Dydi hyn erioed wedi digwydd i Manon o'r blaen. Saif wrth y drych fel delw. Mae ffôn y dyn efo'r pidyn bach yn canu eto. Mae hi'n mynd ato a'i godi â dwylo crynedig. Gwêl enw Janine. Nid yw'n ateb. Ymhen ychydig eiliadau fe gân y ffôn eto a'r tro hwn wrth weld y rhif 121, mae hi'n gwrando ar neges Janine:

'Helô gorjys! Sori bo' fi'm yn gallu dod ata ti heddiw, cariad. Dwi'n rhydd dydd Mercher nesa. Stafell 35? Edrych 'mlaen i neud petha budr efo ti eto. Gad fi wbod be ti'n neud. Lyfio chdi lôds.'

Mae Manon yn lluchio'r ffôn ar y gwely, ac yn edrych ar y corff ar y llawr. Mae'n rhaid iddi adael. Mynd o 'ma. Gynted â medr hi. Heb adael dim o'i hôl. Mae'n gwisgo'r dillad isaf drud a brynodd hi er ei fwyn, yn rhoi ei ffrog amdani'n gyflym ac yn mynd at y drws. Mae'n oedi am eiliad a throi yn ôl at y gwely. Cythra am y ffôn gan fynd drwy'r *inbox*. Yr un math o negeseuon atyn nhw i gyd – at Janine, Nicky, Sharon, Lisa a hithau.

'Efo chdi dwi isio bod.' ''Di Bethan ddim yn fy nallt i fel wyt ti.' ''Swn i'n gneud wbath am gal bod efo ti rŵan. Be ti'n neud?' 'Pa nicyrs wyt ti'n gwisgo heddiw?' 'Tynna fo,' ac yn y blaen.

Aiff drwy'r *sent items* a gweld holl atebion anllad y

merched, gan gynnwys ei hatebion hithau. Mae'n dileu ei negeseuon a'i henw o'r ffôn. Caiff 'Bethan' weld yr enwau eraill. Waeth faint o ferched a roddai bleser iddo, am Bethan y meddyliai wrth farw. Y bastad. Mae hi'n agor y drws yn ofalus gan edrych yn llechwraidd ar hyd y coridor cyn ei sgrialu hi o 'ma. Mae'r drws yn cau'n glep gan adael siaced y dyn yn siglo fel pendil cloc.

A dyma ni'n dawel eto. Dim ond fi a dyn y pidyn bach yn gorwedd yn gorff gwyn ar garped lliw gwlanen. Mae'n debyg mai fel hyn y bydd hi tan i Hedvika ddod i lanhau bore fory. Bydd honno wedi cynhyrfu'n lân, druan. Pe gallwn ei rhybuddio, fe wnawn.

Mae'r gwely'n dal yn dwt. Hanner potel o Merlot, goriadau'r BMW a goriadau f'ystafell innau ar y bwrdd. Dau wydr gwin ar eu hanner wrth y drych. Siaced frown Boss ar gefn y drws. A ffôn bach yn fflachio ei negeseuon mud.

Tri

Edrychodd Beth ar ei chariad. Roedd hi'n lwcus iawn i'w gael, roedd hynny'n ffaith. Doedd hi erioed wedi cyfaddef wrth neb ond gwyddai ei fod e'n fwy golygus nag yr oedd hi'n bert. Ond doedd hi ddim am feddwl gormod am y peth nac am godi'r mater chwaith. Wedi'r cyfan, pe bai hi'n dweud wrth Tomos, roedd peryg y byddai'n sylweddoli'r ffaith ac yn diflannu. Rhyw fecso ganol nos oedd y becso, doedd hi ddim yn meddwl y byddai'n ei gadael mewn gwirionedd. Wedi'r cyfan, roedden nhw wedi bod yn gariadon ers blynyddoedd lawer.

Gorweddai'r ddau yn y gwely gyda'i gilydd y bore hwnnw. Y bore cyn y digwyddiad mawr. Gwyddai Beth y byddai'n anodd iddi ildio corff ei chariad i ferch arall, ond roedd e wedi dweud erioed ei fod e'n hoff iawn o'r syniad o garu gyda dwy fenyw. Roedd Beth yn go sicr o'r ffaith na fyddai unrhyw ferch arall yn striwo dim. Ei ffantasi e oedd cael *threesome*. Dyna'r cwbl.

Syllodd ar frest Tomos yn symud i fyny ac i lawr yn ei gwsg. Gwyliodd ei aeliau'n codi a daeth rhyw awel i mewn drwy ddrws yr ystafell wely. Dim ond ar fore Sadwrn y byddai'r ddau'n cael cyfle i sylwi ar bethau felly gan nad oedd cyfarwyddwr cwmni fel Tomos yn cael llawer o amser i loetran yn y gwely'n rhy aml. Cododd Beth o'r gwely gan syllu drwy ffenestri'r tŷ newydd crand ar gaeau breision sir Gaerfyrddin. Roedd hi'n lwcus ei bod hi wedi'i chael ei hun gyda shwt foi.

'Bore da,' meddai'r llais rhochlyd o'r gwely. 'Ei di i lawr i'r gegin i neud coffi i fi?'

Gwenodd Beth yn ddedwydd. Cerddodd tuag at Tomos a'i gusanu. Fe'n gorwedd yn y gwely, a hithau'n sefyll ar ei thraed.

'OK,' atebodd. Ond ychwanegodd Tomos,

''Wy 'di ailfeddwl. Coffi ar ôl brecwast.'

'Brecwast?' holodd Beth, gan esgus nad oedd hi'n deall am beth roedd e'n sôn.

Tynnodd Tomos ei gariad i mewn i'r gwely a gwthio'i law yn ofalus o dan ei gŵn nos. Teimlodd Beth ei ddwylo cynnes yn crwydro ar hyd ei chroen ac ildiodd i'r foment.

* * *

'Nid wy'n gofyn bywyd moethus, aur y byd na'i berlau mân!' canodd Gwenno ar dop ei llais, a dŵr y gawod yn golchi drosti'n braf. Doedd hi ddim yn siŵr pam, ond roedd hi'n dueddol o ganu emynau yn y gawod. Roedd ei thraddodiad capel fel petai'n dod yn fyw o dan y dŵr. Estynnodd am y sebon a'i dynnu dros ei bronnau cyn shiglo'i gwallt, cerdded allan o'r gawod a chamu ar ei thywel melyn golau. Doedd yr ystafell ymolchi fawr mwy na maint y gawod ei hun, ac wrth iddi estyn i sychu ei choesau, bwrodd ei chorff gwlyb yn erbyn y wal.

'Damo,' meddai, cyn syllu arni ei hun yn y drych. Rhyw ddydd, fe fydda i'n cael tŷ crand, meddai wrthi'i hunan.

Roedd golwg wedi blino arni ar ôl hwyl neithiwr. Tair merch ifanc wedi aros mewn un bar yn rhy hir. Ac, wrth gwrs, yr un hen stori yw hi bob tro. Wrth i ti daro'r awyr iach, ma' dy ben di'n dechrau troi. Gollyngodd Gwenno'i thywel a syllu ar ei chorff yn y drych. Gorweddai ei bronnau hi'n berffaith ac yn dwt. Syllodd ar ei hwyneb. Er ei bod hi wedi blino'n shwps, roedd e'n wir ei bod hi'n dal i edrych yn brydferth.

Gwenodd wrth feddwl ei bod hi wedi cytuno i'r fath beth. Doedd hi ddim yn nabod Tomos yn dda, dim ond ei bod hi wedi bod yn tempio gyda'i gwmni e rhwng ei jobsys actio. Am ei bod hi'n siarad Cymraeg, roedd hi wedi cael swydd yn y dderbynfa cyn cael ei symud i weithio yn nerbynfa Tomos ei hunan. Roedd e'n fòs clên. Yn fòs ifanc, ffynci. Sut ddiawl roedd e wedi cyrraedd y fath statws yn ei swydd ac yntau ond yn dri deg pump mlwydd oed, fyddai hi byth yn gwybod.

'Ti yw'r ferch ar *Gwyn y Gwêl*, ondyfe?' holodd Tomos ar ei diwrnod cyntaf, a gwenodd hi'n amheus.

'Ie,' meddai, gan edrych i lawr. Doedd fawr neb wedi joio'r gyfres honno, ac S4C wedi ei thynnu oddi ar y sgrin cyn rhoi ail gyfres iddi. Peth prin iawn yn yr oes oedd ohoni.

'O'n i'n ei lico fe,' meddai Tomos wrth gario coffi mewn cwpan bapur i mewn i'w swyddfa. '*Escapism*, ife! Ac o'n i'n lico *ti* ynddo fe 'fyd.'

Prin bod yn rhaid i Tomos ddweud dim byd arall. Roedd e wedi cael ei nodi yn ei lyfr bach du. Dyn hoffus – dyn oedd yn meddwl ei bod hi'n bert – ond yn fwy na hynny, dyn hoffus oedd yn meddwl ei bod hi'n gallu actio. Fyddai Gwenno ddim yn clywed hynny'n aml.

Ac o dipyn i beth, wrth reswm, dechreuodd y ddau fflyrtio yn y swyddfa. Doedd dim drygioni yn y peth, dim ond fflyrtio i basio pnawn Llun. Wedi'r cyfan, roedd Gwenno'n hapus tu hwnt gyda Matt, ac roedd pawb yn gwybod bod Tomos wedi setlo gyda rhyw ferch o Gwmllynfell ers blynyddoedd a'u bod nhw'n mynd i gael plant yn fuan, hyd yn oed. Roedd Gwenno wedi clywed y menywod yn y swyddfa'n sôn bod y cariad ychydig yn *frumpy* o'i chymharu â Tomos, ond ei bod hi'n yffach o ferch. Yn bersonoliaeth.

'Ma'n nhw'n gweud, ondyfe, nid bo' fi'n gwbod ei fod e'n wir . . . ' meddai Awen, oedd yn gweithio ar y ffotocopïwr, 'fod dynon yn dueddol o fynd am ferch sydd ddim cweit mor bert â nhw'u hunen, fel bo' nhw'n gallu garantïo bod y ferch ddim yn mynd i jengid, neu ga'l affêr.'

Cytunodd côr o ferched oedd yn sefyll yn y swyddfa yn gwneud dim byd, gan gynnig enghreifftiau o hyn yn eu bywydau bob dydd. Doedd Gwenno ddim mor siŵr. Roedd nifer o bobl wedi dweud bod Gwenno a Matt yn bâr golygus – a'r naill mor olygus â'r llall.

'Do you think I'm less pretty than you are good lookin'?' holodd Gwenno y noson honno yn y gwely.

'No way,' medde fe wrth gusanu ei bron chwith. 'I reckon we're about the same, but that you're brighter.'

'What?' holodd hithau gan syllu arno a'i llygaid yn fawr. Llyfodd yntau ddarn o'i bron.

'Well, you can speak two languages. I can't.'

'That doesn't mean I'm more intelligent!' meddai Gwenno gan chwerthin, a chuddiodd 'i phen o dan y blancedi.

Roedd y ffaith ei fod yn DJ yn Abertawe yn apelio ati. Ond, serch hynny, a'r ffaith ei fod yn olygus tu hwnt, doedd hi ddim yn gallu diodde'r ffaith nad oedd e'n ennill arian da. Wedi'r cyfan, roedd hi'n saith ar hugain erbyn hyn, ac yn haeddu ychydig o faldod.

Rhuthrodd ei meddwl yn ôl i'r presennol a theimlodd yn oer heb y tywel amdani. Doedd hi ddim yn gallu credu ei bod hi wedi derbyn yr e-bost yn gofyn iddi ymuno mewn *threesome*. Gan ei bòs hefyd. Roedd e wedi gwneud y peth yn hollol glir serch hynny. *'No strings sex'* yn ei eiriau teipiedig ef ei hun. Gwyddai Gwenno y gallai hi hudo'r boi 'ma pe bai hi eisiau gwneud. Wedi'r cyfan, roedd e'n graig o arian. Ond roedd hi wedi deall, o ddarllen yr e-bost, nad oedd Tomos yn mynd i ymadael â'i gariad dros ryw ffolineb fel hyn. Roedd e am ei chynnwys hi'n rhan o'r ffantasi fel na fyddai'n cael ei weld fel anffyddlondeb. Roedd e am iddyn nhw i gyd gael hwyl, a sicrhau na fyddai neb yn cael ei frifo. A chwarae teg iddo. Doedd fiw iddi feddwl am ei hudo felly – ychydig o hwyl fyddai hyn, a chyfle i gael tâl gwell yn y gwaith tra'i bod hi'n chwilio am ei chyfle actio nesaf.

* * *

Eisteddai Tomos wrth y bar brecwast marmor. Roedd e wedi bod yn edrych ymlaen at heno ers wythnosau. Edrychai ymlaen yn eiddgar at gael cyflawni ffantasi, a theimlai'n dipyn o foi am ddweud wrth Beth ei fod yn hoffi'r syniad o gael *threesome*. Wedi'r cyfan, roedd nifer o'i gyd-weithwyr e'n anffyddlon yn ddyddiol yn y gwaith, ond doedd Tomos ddim am wneud hynny i Beth. Roedd e'n ddigon craff i wybod na ddeuai dim daioni o hynny. Ac, yn ogystal, gwyddai na fyddai'n dod o hyd i ferch y byddai'n fwy hapus gyda hi na Beth. Roedd e'n benderfynol o'i phriodi rhyw ddydd, a doedd e ddim am i ryw ysfa rywiol i garu gyda dwy fenyw ddod rhyngddo fe a'r bywyd gwych oedd o'i flaen.

Gwthiodd ei fowlen i'r union fan ar y bwrdd lle y byddai'n hapus i fwyta ohoni. Yna, rhoddodd y carton llaeth i sefyll i'r ochr chwith iddi. Perffaith. Doedd dim yn well na chael popeth yn dwt yn ei le. Bwytaodd y *cornflakes* yn dawel wrth iddo glywed sŵn y gawod yn yr ystafell ymolchi i fyny yn yr atig yn diffodd. Doedd Beth ddim fel petai hi'n poeni'r un iot am y busnes *threesome* 'ma. A dweud y gwir, roedd e wedi disgwyl iddi brotestio ar y dechrau. Y cyfan ddwedodd hi oedd ei bod hi'n falch ei fod e wedi sôn wrthi am ei ffantasïau rhywiol, yn hytrach na mynd i'w cyflawni nhw y tu ôl i'w chefn. Wrth gwrs, wnaeth hyn ddim byd ond atgyfnerthu cred Tomos yn y ffaith fod Beth yn gariad a hanner.

Ond roedd ei geiriau hi neithiwr wedi gwneud iddo ailystyried am eiliad. Roedden nhw'n gorwedd ym mreichiau ei gilydd, a newydd ddiffodd y teledu yn yr ystafell wely, pan ddywedodd hi:

'Wyt ti'n meddwl falle fod 'na berygl mewn gwneud hyn?'

'Gwneud beth?' holodd yntau wrth iddo lithro i gwsg.

'Gwahodd y ferch 'ma draw aton ni nos fory. Nagyt ti'n meddwl falle fod perygl y byddi di'n ei ffansïo hi? Falle fyddi di ishe bod 'da hi.'

Estynnodd Tomos ei law at y lamp wrth ymyl y gwely, gwasgu'r switsh a syllu ar Beth.

'Os nagyt ti am neud hyn,' meddai'n betrus, 'fydda i wir yn deall yn iawn. Dim ond syniad twp o'dd e.'

Protestiodd hithau'n dawel. 'Dim ond gofyn o'n i. 'Wy'n hapus i'w neud e. Ond, beth *os*?'

''Wy *yn* ei ffansïo hi,' meddai Tomos yn hollol ddi-flewyn-ar-dafod. 'Ond sa i'n ei lico hi'n fwy na wy'n dy lico di. Rhyw chwant rhywiol twp yw e. A 'wy am i ti fod yn rhan o'r peth, os 'yt ti'n hapus, fel bod e ddim yn gyfrinach.'

Gwenodd Beth. Rywfodd, roedd popeth yn gwneud synnwyr iddi pan roedd Tomos yn egluro. Ond doedd ganddi ddim dewis a dweud y gwir.

'Ti yn sylweddoli y bydd ei thits hi'n well na'n rhai i?' meddai Beth gan chwerthin.

''Sen i'n gobeithio 'ny 'fyd! Ma' ddi ddeng mlynedd yn iau na ni.'

Gwibiodd meddwl Tomos yn ôl at y bwrdd brecwast. Estynnodd am ei sudd oren. Doedd dim modd osgoi hyn rhagor; roedd y trên ar y traciau. Gwyddai mai dyma oedd yr unig opsiwn os oedd Beth ac yntau am barhau â'u perthynas. Cael y rwtsh 'ma mas o'i system unwaith ac am byth. A beth bynnag, doedd ganddo ddim diddordeb o gwbl mewn cael cariad oedd yn saith ar hugain oed. Nid diddordeb yn Gwenno oedd y peth, ond diddordeb mewn rhyw gyda hi. Byddai'n siŵr o'i deisyfu hi ychydig ar ôl cysgu gyda hi – efallai'n meddwl am fan gwyn man draw – ond doedd e ddim yn mynd i wrando ar y teimladau hynny. Fyddai e byth yn gadael Beth; roedd e'n ei charu hi'n llwyr, ac yn ei ffansïo hi hefyd.

* * *

Wrth i'r gloch ganu, sylwodd Beth ei bod hi wedi tywyllu'n gyflym tu allan. Estynnodd at waelodion ei ffrog a'i thynnu tuag at y llawr.

'Ti'n edrych yn gorjys; sdim ishe ti fecso dim,' meddai Tomos wrthi gan gerdded at y drws ffrynt.

Safai Gwenno ar stepen y drws gan ddal potel o win yn bresant.

Safai Tomos yr ochr arall i'r drws, ac anadlodd yn ddwfn. Byddai arwain y ferch ifanc i mewn at Beth yn fwy o beth nag yr oedd wedi'i ddychmygu. Agorodd y drws.

'Haia,' meddai, a gwenodd hithau. Edrychai'n smart yn ei ffrog goch oedd yn dangos top ei bronnau. 'Dere miwn. Ma' Beth yn edrych ymlan i gwrdd â ti.'

Dyma'r ddau yn osgoi rhoi cusan drwsgwl ar fochau ei gilydd wrth i Tomos arwain Gwenno i mewn at Beth.

Syllodd Beth tuag at y drws, gan sefyll nid nepell o'r drych uwch y pentan a'r soffa hufen roedd hi wedi ei dewis o Leekes, Cross Hands. Wrth i Gwenno ddod i mewn, daliodd ei hanadl.

'Shwmâi,' meddai Gwenno, gan wenu'n nerfus.

Gwenodd Beth arni. Gallai weld yn union pam y byddai Tomos wedi'i ffansïo hi. Edrychai'n berffaith yn ei ffrog fach. Bu bron iddi grio, ond gwenodd wrth iddi hanner adnabod ei hwyneb.

'Nage ti o'dd ar y rhaglen 'na, *Gwyn ei Byd*?'

'*Gwyn y Gwêl*,' meddai Gwenno'n dawel. 'Ie. Paid â sôn. Rhaglen uffernol os gweles i un erio'd.'

Chwarddodd Beth yn ysgafn. O leia doedd hon ddim yn cymryd ei hun ormod o ddifrif.

'O'n i'n ei lico hi,' meddai Tomos yn styfnig.

'O'n i ddim,' meddai Beth, 'ond nid ti o'dd ar fai am hynny,' meddai wrth Gwenno'n gyflym. 'Gwilym

117

Straw o'dd ar fai. Sa i'n gwbod pam maen nhw'n ei gasto fe fel cariad *good-lookin'* yn y rhaglenni 'ma. Smo fe'n olygus o gwbl!'

Chwarddodd Gwenno'r tro 'ma. 'Paid! 'Wy'n gwbod. 'Wy wastad ishe gweud 'na wrth 'yn ffrindie i, ond alla i ddim, achos ma'u hanner nhw 'di cysgu 'da fe.'

Gwenodd Beth ar Gwenno a syllodd Tomos arnyn nhw'n ofalus. Roedd e wrth ei fodd eu bod nhw'n dod ymlaen yn dda. Teimlai'n llai hunanol.

'Reit 'te,' meddai Tomos, a syllodd y ddwy arno a'u llygaid yn fawr. 'Gwin?'

* * *

Roedd yr eiliadau herciog cyn y caru wedi peri cryn embaras i bawb. Doedd dim modd i bethau lifo'n llyfn fel mewn ffilm bornograffig. Wyddai Tomos ddim sut i awgrymu bod pawb yn mynd tuag at yr ystafell wely. Ond ar ôl i Beth a Gwenno roi'r byd yn ei le, a thrafod fel yr oedd rhai o ferched gwaith Tomos yn dwpach na thwp, dyma fe'n peswch:

''Wy am fynd lan lofft 'te,' meddai Tomos a'i gorff yn cynhyrfu wrth ddweud y geiriau.

'Iawn,' meddai Gwenno gan syllu ar Beth, 'ewn ni lan 'fyd?'

'Ie,' meddai Beth gan syllu ar gorff main Gwenno. Roedd hi'n bosibl y byddai pethau'n newid o hyn ymlaen. Llai o dynnu coes a chyd-dynnu.

Dringo'r grisiau wedyn. Tri unigolyn. Tri meddwl yn gwibio. I mewn i'r ystafell wely, a chusan gan Tomos ar war Beth. Trodd hithau a'i gusanu yntau'n wyllt. Roedd hi am ddangos ei bod hi gystal carwr â Gwenno.

Yna trodd Tomos at Gwenno a'i chusanu hi. Ceisiodd Beth beidio ag edrych. Roedd hi'n ofni teimlo cenfigen arswydus. Trodd Tomos ac estyn am Beth, ond cyn iddo allu gwneud, trodd Gwenno ati a rhoi ei llaw fach ar ei chefn.

'Ti'n iawn?' holodd Gwenno, a gwenodd Beth yn swil. Tynnodd Gwenno ei llaw ar hyd cefn Beth a symud yn nes ati. Pefriodd llygaid Gwenno wrth iddi syllu arni. Teimlai Beth ysfa rywiol ryfedd a chusanodd Gwenno'n dyner. Yna, wrth i Tomos syllu ar y ddwy, dechreuodd y ddwy gusanu'n llawer mwy nwydus. Gwenodd Tomos. Roedd hyn yn union fel yr oedd wedi'i ddychmygu.

Syllodd Beth ar Gwenno. Doedd hi ddim wedi cael cusan debyg erioed o'r blaen.

Yna, yn ara bach, wrth i Tomos dderbyn sylw gan Gwenno, dechreuodd Beth deimlo cenfigen. Nid cenfigen fod Tomos yn mwynhau sylw menyw arall, ond cenfigen fod Gwenno yn rhoi ei sylw i rywun arall.

Wrth i Gwenno lyfu un o fysedd Tomos, dechreuodd Beth ddadfotymu ei grys. Yna, yn hunanol ddigon, tynnodd Beth Gwenno yn ôl tuag ati a'i chusanu'n llawn tafodau.

Llyfodd Gwenno wddf Beth yn ara deg bach cyn estyn ei llaw tuag at ei bronnau a sugno'i thethi gyda'i gwefusau ifanc. Llyfu un ar ôl y llall, yn ofalus. Efallai mai dyma oedd y ffordd at galon Tomos. Hudo oddi wrtho yr un roedd e'n ffyddlon iddi.

Gwenodd Beth ar Gwenno. Doedd hi ddim wedi cael shwt hwyl ers blynyddoedd. Gwenodd Tomos wrth syllu ar y ddwy ac, am eiliad fach, wrth i Beth afael yng ngwar Gwenno a'i mwytho, synhwyrodd Tomos bethau eraill. Synhwyrodd ei fod yn colli gafael ar bob dim. Efallai mai dychmygu roedd e, ond gallai daeru bod Beth wedi dod yn fyw yn sydyn iawn. Ceisiodd dawelu ei feddwl, gan ymroi i'r profiad yr oedd e wedi'i gynllunio mor fanwl. Meddal ydi meddwl, meddai wrtho'i hun, cyn gorwedd yn fflat ar ei gefn ar y gwely a gwahodd y ddwy ato.

Y carwr anfad

'Dwi'n mynd i 'ngwely, Mam.'

'Ew, rŵan? Braidd yn fuan, tydi?' holodd ei fam mewn syndod.

Cododd Rhodri ei ysgwyddau.

''Dach chi'n gwbod mor fuan dwi'n gorfod codi efo'r jòb bins 'ma,' mwmialodd wrth anelu am y grisiau.

'Wel, cofia y byddan ni wedi mynd erbyn i ti ddod adra fory,' galwodd ei fam ar ei ôl. 'Mi fydd y tacsi'n galw amdanan ni erbyn deg.'

Oedodd Rhodri am eiliad. Doedd o ddim am ymddangos mor ddi-hid o'i theimladau. Roedd ei rieni ar fin cychwyn am bythefnos a hanner o wyliau – y cyntaf iddyn nhw'u cael ers blynyddoedd, ac yn sicr y cyntaf heb Rhodri ers ei enedigaeth.

'Gobeithio y cewch chi amser da,' galwodd wrth ddringo'r grisiau, 'a chofiwch fwynhau'ch hunain.'

'A chofia ditha gadw'r lle 'ma'n lân,' atebodd hithau. 'Dim partis gwyllt rŵan, a dim genod dros nos!'

Ie, ie, ie, meddyliodd Rhodri. *As if . . .*

'A chofia ddechra hel petha ar gyfar y coleg – dim ond wythnos fydd gynnon ni ar ôl dod adra. A chofia newid dillad y gwely bob nos Wener, ac mae bwyd y gath bron â gorffan, a chofia gloi'r drws cefn bob bora, a throi'r stôf i ffwrdd, a . . . '

Caeodd ei glustiau rhag llith ei fam: roedd wedi'i chlywed droeon yn barod. Pan grybwyllwyd y gwyliau am y tro cyntaf, roedd ei fam yn anfodlon ei adael ar ei ben ei hun, ond dadleuodd ei dad y byddai'n ymarfer da iddo cyn hedfan y nyth a mynd i'r coleg.

Yn niogelwch ei ystafell, lledodd gwên enfawr dros ei wyneb. Tasa'i fam ond yn gwybod, roedd Rhodri wedi dyheu am fynd i'w wely o'r munud y cododd y bore hwnnw. Breuddwyd oedd teithio yn y lori ludw yn gwagio biniau'r meysydd carafannau ar hyd yr arfordir, jobyn haf a drefnwyd iddo gan ei ewythr ar y cyngor, a chellwair gwatwarus yr afiach Wayne, a fynnai ei alw'n 'Rodney', yn ddim diflasach na su cleren wrth ei glust.

Tynnodd ei sbectol a'i gosod yn ofalus ar y bwrdd bach ger ei wely. Aeth ati i ddiosg ei ddillad ac ymestyn ei law am ei byjamas, ond gwenodd unwaith eto a thynnu ei law yn ôl. Waeth iddo fod yn barod ddim! Edrychodd arno'i hun yn y drych ar ei gwpwrdd dillad, gan droi ei gorff noeth y ffordd hyn a'r ffordd arall yn feirniadol. Ochneidiodd, a daeth ton o ddiflastod i darfu ar ei ragflasu pleserus. Dim rhyfedd nad oedd Bethan yn cymryd y mymryn lleiaf o sylw ohono. Nid ei fod o'n dwb o lard – dim eto, beth bynnag – ond roedd llawer gormod o gnawd yn cwmpasu ei esgyrn. Byddai'n rhaid iddo geisio torri i lawr ar y tsips a'r byrgyrs.

'Bygyr ddat!' meddai'n sydyn wrth i'r cynnwrf ailafael ynddo. Llithrodd rhwng cynfasau'r gwely a meddwl am y pleserau oedd i ddod – neu o leiaf y gobaith amdanynt. Gorweddodd ar wastad ei gefn, ei ddwylo y tu ôl i'w ben ar y gobennydd a'i goesau'n ymestyn tuag at draed y gwely. Ysgydwodd fysedd ei draed gan deimlo craster y cynfasau (ei fam a'i dillad glân!) yn crafu'n ysgafn yn erbyn blewiach ei gorff. Gwingodd yn araf i ddyfnhau'r pleser, a meddyliodd am Lili.

Doedd o ddim wedi cael yr un freuddwyd noson ar ôl noson tan i Lili ymweld ag ef nos Sadwrn, yna nos Sul, ac wedyn neithiwr. Oedd o'n realistig iddo'i disgwyl eto heno? Oedd, siŵr Dduw! On'd oedd o'n dyheu amdani! Roedd meddwl am ei chyffyrddiad yn ddigon iddo ddechrau chwyddo. Llwyddodd i gadw'i ddwylo tu ôl i'w ben. Roedd pob blewyn, pob nerf, pob mandwll yn ei groen ar dân wrth iddo ddychmygu ei thafod yn araf redeg dros bob cwr ohono, gan adael llwybrau iasoer dros fap ei gorff wrth i leithder cynnes ei thafod oeri'n raddol. Dychmygodd ei dwylo'n chwarae â'i geilliau, y bysedd fel sidan yn rhedeg i fyny ac i lawr ei bidyn wrth dylino'r cnawd a oedd eisoes mor galed â haearn Sbaen. A neithiwr! Neithiwr roedd hi wedi ei farchogaeth ar garlam gwyllt nes bod ei bronnau llawn yn chwifio fel baneri o'i flaen, ac yntau megis pysgodyn a'i geg ar agor yn ceisio bachu'r tethi hudolus wrth iddynt siglo heibio'i drwyn, fymryn allan o'i gyrraedd, nes iddi drugarhau wrtho a gwyro 'mlaen dan chwerthin, a gadael iddo'i sugno'n farus fel oen swci ar ei gythlwng.

Caeodd ei lygaid i ail-fyw'r profiadau newydd, melys hynny. Beth fyddai'n digwydd heno, tybed? A fyddai'n teimlo'i bronnau yn gwthio yn erbyn ei wefusau? A fyddai'n gafael yn ei phen-ôl siapus a gwthio'i fysedd i'r cnawd meddal, dengar cyn llithro'i law i gynhesrwydd ei chedor â'i gwlybaniaeth parod? Neu a fyddai hi'n ei sugno fel y gwnaeth y noson gyntaf honno, y profiad cyntaf o ryw a oedd y tu hwnt i bopeth a ddarllenodd – ac a ddychmygodd. Teimlodd ei bidyn yn caledu eto: roedd ei dychmygu hi'n ddigon! Ymestynnodd ei law i'r man y dychmygai hi'n gorwedd wrth ei ochr, a rhedeg ei law ar hyd ei chroen sidanaidd. Teimlodd galedwch ei theth a mwythodd ei bron. Rhedodd ei law i lawr ei chorff, dros gyhyrau cadarn ei bol nes cyrraedd llwyn y mynydd bach hwnnw oedd yn agoriad i holl odidowgrwydd ei chorff. Teimlodd ei chorff yn gwingo mewn pleser o dan gyffyrddiad ei law . . . ei chorff? Yn gwingo?

Agorodd Rhodri ei lygaid yn wyllt a throi ei ben i'w gweld hi'n gorwedd wrth ei ochr! Oedd o'n cysgu wedi'r cyfan? Ai breuddwyd oedd hyn yn barod? Edrychodd o'i gwmpas a gweld ei ystafell fechan, gyfarwydd, ei ddillad yn un pentwr blêr ar y llawr, ei sbectol – popeth! Doedd ganddo ddim cof ei fod wedi sylwi ar bethau allanol yn ei freuddwydion blaenorol.

Gwthiodd ei hun i fyny ar ei benelinoedd ac edrych i lawr arni.

'Be sy, Rhodri bach?' meddai hi mewn llais isel, bloesg, a gwên fach bryfoclyd yn chwarae ar ei min. 'Dwyt ti'm yn falch o 'ngweld i?'

'Lili!' ebychodd, cyn syrthio ar ei chorff a'i chusanu o'i chorun i'w sawdl – a phobman arall.

Bore drannoeth y dechreuodd Rhodri boeni. Doedd dim posib meddwl am ddim cyn hynny ond caru'n wyllt, a'i chorff hi a'i gorff ef yn gweithredu mor ogoneddus gyda'i gilydd. Ond wedi dechrau, treuliodd weddill y diwrnod yn cnoi ei ewinedd ac yn rhyw led-ofni ei fod yn colli'i bwyll. Oedd o'n effro ynteu ai breuddwyd arall oedd y cyfan? Dyna'i boen.

Penderfynodd y byddai'n aros ar ei draed drwy'r nos heno. Efo'i rieni ar eu gwyliau, roedd ganddo'r rhyddid i wneud hynny. Wedi bwydo Rwdlan y gath o un tun, a fo 'i hunan o dun arall, gwnaeth Rhodri ei hun yn gyfforddus yn y gadair esmwyth. Gwyliodd un rhaglen 'pry ar y wal' wirion ar ôl y llall, a dechreuodd deimlo'n swrth. Neidiodd Rwdlan ar ei lin, gan osod ei hun yn belen flewog ar ei arffed a chanu grwndi'n ysgafn.

Deffrodd mewn braw wrth deimlo ewinedd Rwdlan yn plannu eu hunain yn ei goes. Roedd y gath yn hisian ac yn dangos ei dannedd, ei chefn yn grwm a'i chynffon syth fel brwsh potel. Neidiodd i'r llawr yn wyllt a rhuthro am y drws, gan fewian yn aflafar.

Agorodd Rhodri'r drws a diflannodd Rwdlan i'r nos. Daeth yn ei ôl yn araf a churiad ei galon yn drybedian yn ei glustiau.

Roedd hi yno! Roedd hi'n eistedd yn noethlymun yng nghadair ei fam! Codwyd ei wrychyn gan ei haerllugrwydd halogedig ac anghofiodd am ei ofn. Sedd ei fam oedd honna!

'Chei di'm ista'n fan'na!'

Cododd Lili gydag ystum fach bwdlyd a swagro draw at y soffa, ei bronnau'n ymdonni'n araf nes peri i'w wylltineb ddiflannu, yr hen ddyhead llesmeiriol yn llenwi ei gorff.

'Pwy wyt ti?' gofynnodd yn floesg. 'Be wyt ti?'

Eisteddodd Lili gyda gwên.

'Edrycha arna i fel dy "fairy godlover",' meddai. 'Yma i dy ddysgu am ferched a sut i'w plesio.' Trawodd glustog y soffa'n ysgafn i'w wahodd i eistedd wrth ei hochr. Ufuddhaodd Rhodri fel pe bai tennyn yn llaw Lili yn ei lusgo gerfydd ei goc tuag ati.

'Wyt ti'n ddynes go iawn?'

'Teimla fi! Na, nid fel yna – fel hyn!' Gafaelodd ym mys Rhodri oedd wedi pwnio'i braich yn wyliadwrus a'i symud fel bod ei law gyfan yn cwpanu ei bron. Rhwbiodd ei law yn galed yn erbyn ei theth a dechrau griddfan mewn pleser. 'Ydw i'n ddynes go iawn, Rhodri, neu yn rhith?'

Roedd ei griddfan, a theimlad ei bron dan ei law, yn ormod i Rhodri druan, ac aeth ati i'w charu'n frwd. Wedi iddynt ddiwallu eu trachwant ar rỳg gorau ei

126

fam, eisteddodd Rhodri'n ôl i gael ei wynt. Teimlai mor wan â chath fach.

'Ti'n ffansïo Bethan, twyt?'

Daeth y cwestiwn o'r gofod, a llorio Rhodri.

'Sut ti'n gwbod hynny?' holodd yn gegrwth.

''Nei di byth mo'i hennill hi, 'sti, os na wnei di ddilyn fy nghyngor i,' aeth Lili yn ei blaen gan anwybyddu ei gwestiwn. 'Ti'n gwbod beth i'w wneud i blesio merch,' meddai, a rhoi gwasgiad bach chwareus i'w geilliau, 'ond rhaid i ti ei bachu hi gynta. Rydw i'n mynd i roi *makeover* i ti.'

Cyn iddo allu gwrthwynebu, ymddangosodd siswrn yn ei llaw, a chrib yn y llaw arall. Gosododd Rhodri i eistedd ar gadair cefn uchel a mynd ati i docio. O fewn dim, amgylchynwyd ef gan ei gyrls tywyll, modrwyog. Gresynai Rhodri ei fod yn teimlo mor llegach: roedd y tethi hyfryd yn dawnsio o fewn trwch blewyn i'w wyneb wrth i Lili weithio'n ddiwyd yn codi blys anhygoel arno, ond roedd ei gnawd yn wan. Munud neu ddau i ddod ato'i hun, gobeithiodd, ac fe fyddai'n barod amdani eto!

Pan ddaliodd hi ddrych bach iddo weld ei hun, roedd yn rhaid iddo gyfaddef iddi wneud joban dda ohoni. Nid oedd ei gyrls wedi diflannu'n llwyr; roedd Lili wedi llwyddo i'w cael i orwedd yn dynn yn erbyn ei ben fel bod siâp ei benglog yn amlwg, gan ei atgoffa o luniau'r hen Rufeinwyr yn y ffilm *The Gladiators*, a rhywsut neu'i gilydd, roedd ei wyneb yn edrych yn feinach o'r herwydd. On'd oedd 'na ryw awgrym bach o Richard Burton yn *Anthony and Cleopatra* ynddo – y ffilm 'na roedd ei fam wastad yn ei gwylio ar y peiriant DVD?

'Mae gen ti esgyrn da,' barnodd Lili wrth droi ei ben ffordd hyn a ffordd draw. 'Fory rhaid i ti fynd i siop sbectols a chael pâr o *contact lenses*. Rhai efo 'chydig o *tint* ynddyn nhw, i ddyfnhau'r lliw glas.' Diflannodd y siswrn a throdd Lili ato dan wenu. 'Fan hyn eto neu dy wely di?'

Gydag ochenaid oedd yn ymylu ar fod yn gwynfanus, dilynodd hi i fyny'r grisiau.

Wythnos yn ddiweddarach, eisteddai Rhodri a Wil y dreifar mewn tawelwch ar lain o dir, gan edrych draw am y môr wrth fwyta brechdanau, a'r lori ludw yn segur tu cefn iddynt. Roedd Wayne wedi bod yn fwy annioddefol nag arfer ar ôl i Rhodri ddod i'w waith gyda'i *contact lenses* newydd, a'r gwatwar diddiwedd wedi mynd ar ei nerfau'n llwyr. Doedd hi ddim yn helpu, chwaith, ei fod mor flinedig bob bore, a gofynion Lili yn dechrau mynd yn drech nag ef. Braf, felly, oedd cael llonydd gyda Wil. Turio ar y traeth roedd Wayne, a gwelsant ef yn chwilota yma a thraw, gan droi ambell beth drosodd i'w astudio'n fanylach.

'*Salvage, see,*' oedd ei eiriau. '*Lot 'a dosh in scrap metal these days!*' Neithiwr, wedi dioddef diwrnod gwaeth nag arfer o watwar, roedd wedi disgrifio Wayne a'i ffyrdd anghynnes wrth Lili, a'i chyngor hi oedd iddo'i ddychmygu'n noethlymun borcyn. Doedd

Rhodri ddim yn siŵr a allai wneud hynny efo Wayne heb godi cyfog arno'i hun.

Bu bron iddo dagu ar ei frechdan pan welodd Lili'n ymddangos tu ôl i gefn Wayne, mor noeth ag arfer. Edrychodd yn wyllt ar Wil, ond doedd hwnnw fel petai'n gweld dim. Dechreuodd y sioe ryfeddaf a welodd Rhodri erioed. Camodd Lili'n agosach at gefn Wayne a gwyro drosto, gan rwbio'i bronnau yn erbyn ei grys a gwneud stumiau pleserus. Rhoddodd winc fach slei ar Rhodri. Cododd ei choes yn awgrymog a'i chordeddu am ystlys Wayne, ei thafod yn smalio llyfu ei gefn fel ceffyl yn llyfu bloc o halen. Yn rhyfedd iawn, nid oedd Wayne fel petai'n ymwybodol ohoni yn chwarae â'i gorff – neu o leiaf ddim ar y dechrau. Ond pan ymestynnodd Lili ei llaw a dechrau bodio'i falog, sythodd Wayne o'i gwman gan daflu cipolwg sydyn, chwithig ar y ddau arall. Trodd ei gefn atynt a sylwodd Rhodri ei fod yn gwneud rhywbeth i'w drowsus. Dechreuodd chwerthin wrth weld Lili'n mynd ati i'w bwmpio fel lladd nadroedd, gan wincio a thynnu stumiau teilwng o bencampwraig mewn cystadlaethau *gurning* ar Rhodri, a chorff Wayne yn hercian yn od bob hyn a hyn.

'Be sy'n bod ar Wayne, dŵad?' meddai Wil yn ddiniwed.

'Wancar!' atebodd Rhodri, a chodi'n sydyn rhag i Wil druan ei weld yn rowlio chwerthin. Pan ddaeth Wayne yn ôl at y lori funudau'n hwyrach, roedd o'n gwrido. Llithrodd ei lygaid yn llechwraidd at wyneb

129

Rhodri, a gwenodd yntau'n hollwybodus. Chafodd o ddim trafferth gan Wayne am weddill ei ddyddiau ar y lori.

Ar ei ffordd adref, galwodd Rhodri yn yr arch-farchnad i brynu rhagor o fwyd iddo'i hun a Rwdlan. Wrth geisio penderfynu rhwng rhagoriaethau Kitekat a Whiskas, clywodd lais yn ei gyfarch.

'Bethan! Sumâi? Llongyfarchiada ar dy ganlyniada.'

'Chditha hefyd', atebodd Bethan gyda gwên na welodd Rhodri erioed o'r blaen pan edrychai arno ef. 'Ti'n edrych yn dda! Colli pwysa?'

Cododd Rhodri ei ysgwyddau'n swil. 'Barod am y coleg?' gofynnodd, er mwyn newid cyfeiriad y sgwrs.

'Mmm,' atebodd Bethan. 'Yli, 'dan ni'n mynd i'r Tarw nos Sadwrn i ddathlu. Ddoi di? Tro dwytha i ni gael selebretio cyn i bawb wahanu.'

Derbyniodd Rhodri ei gwahoddiad yn syfrdan. Y noson honno roedd ar ben ei ddigon, ond roedd Lili braidd yn bwdlyd.

'Ti'm isio fi rŵan, nagwyt? Cwbwl dwi'n glwad gen ti ydi "Bethan hyn" a "Bethan llall"!'

'Ew, na, Lili! Fasa dim o hyn wedi digwydd hebddat ti! Dwi'n gwbod hynny, ac yn ddiolchgar i ti!'

'Ia, 'n union! Diolch yn fowr a ta-ta ydi hi rŵan, 'te? A chditha wedi cal dêt efo Bethan.'

I geisio'i chadw'n hapus, addawodd Rhodri wneud unrhyw beth a fynnai Lili: camgymeriad! Clymodd ef yn borcyn wrth y gwely gerfydd ei fferau a'i arddyrnau, a thrwy gydol y noson bu'n ei gosi â phluen, yn codi ei awydd â'i thafod a'i garu'n wyllt ac yna'n ei chwipio'n ysgafn gyda chortyn, un ar ôl y llall nes iddo weiddi am drugaredd. Erbyn y bore roedd o fel cadach llestri. Diflannodd Lili gyda 'ta-ra' bach miniog, ac wedi iddo'i gael ei hun yn rhydd, llusgodd ei gorff tuag at y drych.

'Drychiolaeth, myn uffarn i!'

Roedd hi'n ddiwrnod olaf iddo yn y gwaith, a dymunodd pawb ond Wayne lwc dda iddo yn y coleg. Cafodd adael yn fuan, ac aeth i brynu dillad newydd ar ei ffordd adref, gan fod popeth yn ei gypyrddau bellach yn llawer rhy fawr iddo. Yna glanhaodd y tŷ ar gyfer dychweliad ei rieni y diwrnod canlynol, dydd Sadwrn. Disgwyliodd am Lili, ond yn ofer. A dweud y gwir, roedd yn hynod falch, achos ni fyddai wedi gallu goddef noson arall o berfformio dan unrhyw amgylchiadau.

Cyn cyfarfod Bethan, ymolchodd a gwisgo'n ofalus iawn. Cyrhaeddodd tacsi ei rieni fel y gadawai'r tŷ, a ffwr-bwt iawn oedd y croeso a estynnodd iddynt. Sws bach ar foch ei fam, a 'Sumâi?' i'w dad, ac roedd o i ffwrdd, gyda llais llawn rhyfeddod ei fam yn galw ar ei ôl:

'Ew, be ti 'di neud? Ti'n edrach braidd fel Richard Burton!'

Bu'r noson yn un lwyddiannus. Bethan yn hongian wrth ei fraich drwy'r amser a'r merched eraill yn edrych arno efo llygaid newydd, barus. Yfwyd cryn dipyn o alcohol ond doedd neb yn poeni, a neb yn gyrru car. Teimlai Rhodri'n gawr, yn Gasanofa, yn Brad Pitt, George Clooney a Johnny Depp i gyd yn un. Edrychai ar y bechgyn eraill a dreuliodd eu blynyddoedd ysgol yn yr un dosbarth ag ef gyda thosturi hunanfodlon y breintiedig tuag at y difreintiedig. Be wydden nhw am blesio merched? Dim byd – nid fel y fo!

Doedd hi ddim yn syndod felly pan gytunodd Bethan i gerdded adref efo fo, a doedd dim amheuaeth gan yr un o'r ddau y byddai hynny'n cynnwys sesh bach ar y fainc y tu ôl i'r pwll hwyaid – 'lyf lên' yr ardal. Dechreuodd pethau'n ddigon tawel, rhyw swsus bach digon diniwed, ond pan roddodd Bethan glamp o sws Ffrengig iddo, ei thafod yn procio pob un dant yn ei ben, ymfflamychwyd Rhodri. Aeth ati o ddifrif, ac ni wrthwynebodd Bethan. Cododd ymylon ei chrys-T a datod bachyn ei bra, ac roedd arogl hyfryd ei chroen cynnes yn fwy meddwol nag unrhyw gwrw neu alcopop. Cusanodd ei thethi'n ysgafn, ond ni allai ffrwyno'i hun. Dechreuodd ei llyfu ac yna ei sugno, ac roedd yr ebychiadau o'i phleser yn ddigon i'w annog ymlaen.

'O Lili, Lili!' ochneidiodd. 'Rwy'n dy garu di, Lili!'

Rhewodd ei chorff.

'Be? Be alwest ti fi?' Roedd llais Bethan fel haearn. Tynnodd ei hun yn rhydd o'i grafangau a rhoi celpan iawn iddo ar draws ei foch. 'Y bastad bach anghymwys! Paid ti byth â dod ar fy nghyfyl i eto!'

Sythodd ei dillad gyda phlwc sydyn a stompio i ffwrdd yn ôl am y Tarw.

'Bethan! Sori!' galwodd ar ei hôl, ond i ddim pwrpas. Wrth iddo gerdded yn araf tua'i gartref, tybiodd iddo glywed sŵn chwerthin bach maleisus.

Ni ddaeth Lili i'w weld eto, a diolchodd am hynny. Buasai wedi'i chrogi pe bai wedi cael gafael ynddi. Aeth yr wythnos ganlynol heibio mewn bwrlwm o baratoadau, a chyn iddo resynu gormod am y chwalfa efo Bethan, roedd ynghanol miri wythnos y glasfyfyrwyr, a'i holl bosibiliadau rhywiol. Yna bu'n rhaid bwrw i mewn i'r gwaith go iawn. Yn yr Adran Gemeg, gwelodd o'r rhestr ar y bwrdd hysbysebion ei fod dan ddiwtoriaeth Dr Efa Wyn Parri.

'Ti'n lwcus, achan,' oedd sylw ei gyfaill newydd o'r De. 'Uffach o wejen. Pawb o'r bois yn moyn bod o dani hi!' A chwerthin aflafar.

Rhoddwyd dyddiad ac amser cyfweliad i bob un o'r glasfyfyrwyr, felly yn brydlon am dri o'r gloch ar y dydd Iau, safai Rhodri y tu allan i'w drws. Cnociodd yn ysgafn, a chlywodd lais yn galw, 'Dewch i mewn'. Ond roedd rhywbeth ynglŷn â'r llais a'i rhwystrodd rhag symud. Clywodd y llais eto, ychydig yn ddiamynedd y tro hwn, ond dal i syllu ar y drws wnaeth Rhodri. Daeth sŵn cadair yn cael ei llusgo'n ôl, yna agorodd y drws a safodd Doctor Parri o'i flaen.

'Lili!' ebychodd Rhodri.

'Nid Lilith, Rhodri, ond Efa, yr ail wraig – y demtwraig!'

Yr unig wahaniaeth a welai Rhodri oedd ei bod yn gwisgo dillad: roedd pob dim arall yr un fath, y llais, y gwallt, y wên, y croen, y corff o dan ei dillad, y drygioni yn y llygaid – popeth! Roedd hi'n union 'run fath â Lili!

'Tyrd i mewn i ni gael dod i nabod ein gilydd yn well,' awgrymodd mewn llais isel.

Rhedodd Rhodri am ei fywyd.

Seren

Ti'n gorwadd 'nôl ar y gwely moethus, gan adael i'r plu a'r gobennydd meddal dy gofleidio di. Ac wrth i dy gorff suddo i ddyfnder y cynfasau, mae dy feddwl di'n ymroi yn llwyr iddo fo. Ti'n cau dy lygaid, ac mae dy synhwyra i gyd yn gwbl effro, yn eiddgar aros iddo fo dy gyffwrdd di. Ac, o'r diwedd, mae o yno. Mae o'n cosi gwadn dy droed di gynta, mor ysgafn fel nad w't ti'n gallu bod yn berffaith siŵr a ydi o yno neu beidio, a'i gosi chwareus o bron yn annioddefol . . . ond does fiw i chdi symud, rhag ofn i ti ddifetha'r hyn sydd i ddod.

Mae 'i law o'n symud yn araf rŵan dros dy fodiau, ac yn cerdded yn raddol i fyny dy bigwrn, a ti'n teimlo'r croen gŵydd yn lledaenu dros dy goesau i gyd, yn ysu am fwy ohono fo. Mae dy feddwl di'n crwydro'n sydyn at ddelwedd ohono fo wrth y bar yn gwenu arnat ti, yn siarad hefo chdi a neb arall, yn dy ddewis di o blith y cannoedd o genod sydd yno, am mai chdi ydi'r un mae o 'i hisio. A ti'n methu credu'r peth.

Mae o'r ochr yma i dy ben-glin di bellach, ac ma'r llaw arall wedi dechra mwytho dy wallt. Mae 'i gorff cynnas o'n cydorwedd â d'un di, ac mae'r ddau ohonoch chi'n anadlu'n ddwfn, yna'n ildio i gusan feddal, nwydus – ei wefusau o'n cydsymud yn berffaith â dy rai

di. Ti'n cyffwrdd 'i war o ac yn crwydro at ei wallt
tonnog sidanaidd, tra'i fod yntau'n dal i grwydro dy
glun. Ti'n methu aros; mae dy gorff di'n boeth ac yn oer
am yn ail, ac o'r diwedd ti'n meiddio agor dy lygaid.
Mae 'i lygaid glas-y-môr trist yn pefrio'n ôl arnat ti, ac
maen nhw'n gwenu'n ysgafn wrth i ti agor botymau'i
grys o'n araf. Ar hynny, mae o'n cyrraedd dy nicar, ac
yn llithro'r defnydd yn osgeiddig araf i lawr dy
goesau . . .

Cnoc. Cnoc. Cnoc.
   'Damia.'
   'Sara?'
   Pliciodd Sara'i chorff chwyslyd oddi ar y cynfasau
ffres yn araf, a gorfodi'i hun i agor ei llygaid, i ganfod
gwely gwag.
   'Sara, 'sgynnon ni'm llawar o amsar 'ŵan.'
   Doedd dim llonydd i'w gael, meddyliodd Sara.
Ysodd am gael dianc yn ôl i'w byd o ffantasi, byd lle
roedd Rhys Gruffydd yn eiddo iddi hi a neb arall, ac
yn ei charu hi.
   ''Dan ni'n mynd i fod yn hwyr!'
   'Iawn, wela i di yn y bar mewn pum munud.'
Diolchodd fod Elain wedi mynnu eu bod yn cael
ystafelloedd ar wahân. Byddai yma hafan iddi oddi
wrthi: Elain fósi, a fynnai'i hatgoffa byth a hefyd mai
'yno i weithio, yn ogystal â chael hwyl' yr oedden nhw.
Ond nid gwaith na hwyl, yn union, a oedd wedi denu
Sara Lewis i Ŵyl Caeredin, ymhell o'i gliniadur a'i

bwthyn ar lannau'r Fenai, ond y ffaith fod Rhys Gruffydd ei hun, y seren Hollywood hyfrytaf o Gymru, yn troedio strydoedd y ddinas.

'Tri munud, a dim mwy!' o ochr arall y drws, cyn i'r sŵn clip-clop arferol ddiflannu i lawr y cyntedd.

Roedd y ffaith fod Elain wedi gwrthod yn llwyr â defnyddio'i chysylltiadau i gael tocynnau i *premiere* ffilm Rhys Gruffydd yn dal i chwarae ar feddwl Sara. Roedd Elain wedi mynnu mai'r diwrnod ar ôl y *premiere* y byddent yn hedfan i'r ŵyl, ac yn lle cynnwrf y carped coch, roedd yn rhaid mynd i weld drama ddyfais hirwyntog ar lên gwerin Outer Borneo, neu rywle. Honno oedd ar yr agenda heno; syniad Elain o 'roi hwb i sgwennu' Sara. Byddai'n well o lawer ganddi fynd i sgwâr y Pleasance i chwilio am selebs; wedi'r cyfan, roedd Rhys Gruffydd yn bownd o ymddangos yn rhywle heno.

Roedd hi'n gwneud ei ffordd am y gawod pan ddaliodd gip ar ei chorff noeth yn y drych – ei bronnau'n is eto, a'i chluniau'n dechrau magu bloneg. Fu hi 'rioed yn un i ddenu'r dynion fel Elain, ac arferai gysuro'i hun fod ei hieuenctid ganddi, o leia. Ond wrth i'r blynyddoedd lithro heibio, ac ôl ysgariad poenus ar ei gwedd o hyd, gwyddai fod hwnnw wedi'i golli bellach hefyd.

'Reit,' meddai wrth ei hadlewyrchiad, 'Outer Borneo – dwi'n barod amdanach chi.' Ac aeth am y gawod.

'Tw fodca tonics, plîs . . . dybl!' gwaeddodd Sara dros

137

y bar. Roedd hi wedi diflasu ar ôl dim ond chwe munud o'r ddrama, a bu'n rhaid goddef awr a hanner arall cyn iddi allu dianc. Roedd Elain yn ei chlust o hyd, yn mwydro am ddelweddau, ond doedd hi'n gwrando dim arni, dim ond gadael i'w meddwl ddianc yn ôl at fyd o garu â Rhys Gruffydd. Ond gwyddai na fyddai'n dod ar ei draws mewn bar theatr llwm fel hwn.

'Ten pound . . . ' ysgydwyd hi o'i myfyrdod gan lais isel o'r tu ôl i'r bar. Rhoddodd ei thennar olaf iddo, gan ddamio Elain am beidio â chynnig talu am rownd.

''Swn i'm yn llechio hwnna allan o' gwely!' meddai Elain wedyn, a diolchodd Sara 'i bod hi wedi newid y sgwrs o'r ddrama fwyaf diflas yn hanes y byd. Edrychodd ar y gŵr yn ofalus; ychydig iawn o sylw a gymerai o ddynion 'go iawn' erbyn hyn.

'Sbia mysyls,' meddai Elain wedyn, wrth iddo gyfri'r newid. Trodd y gŵr i'w hwynebu, a gwelodd Sara'n union beth oedd gan ei ffrind mewn golwg. Roedd ei gorff yn siâp triongl â'i ben i lawr, a'i grys yn dangos awgrym cynnil o'r cyhyrau roedd Elain wedi'u crybwyll. Ac yna, gwelodd Sara 'i lygaid tywyll, eu lliw yn union fel siocled cynnes.

'Y ll'gada Maltesers 'na dwi'n licio . . . ' meddai, a dechreuodd y ddwy biffian chwerthin. Roedd Elain yn gallu bod yn hwyl wedi'r cyfan, cofiodd Sara, ac wrth iddi geisio ffrwyno'i chwerthin, syllodd y Maltesers yn ddwfn i'w llygaid hi. Roedden nhw'n ddigon i lorio unrhyw ferch.

''Dach chi'n joio'r ddrama, genod?' Daeth y llais isel eto, gan stopio'r chwerthin yn y fan a'r lle.

'Ym . . .' dechreuodd Sara, gan droi at Elain am gefnogaeth, ond roedd hi a'i fodca wedi diflannu. Gwridodd. Gwenodd o arni'n araf, gwên lydan hyderus a barodd i'w bol gymryd tro annisgwyl.

'Cymro w't ti? Ia siŵr!' a chwarddodd yn swil. 'Deud gwir 'tha chdi – nac'dw, dwi'm yn joio o gwbwl!' ac ymunodd yntau yn y chwerthin.

'Chdi 'di'r cynta i fi glwad yn deud hynna!'

'Be, 'di hi fod yn dda, yndi?' gofynnodd Sara, gan deimlo'n wirion.

'Ma' 'i'n gorod bod y peth gwaetha dwi 'rioed 'di weld! Pawb yn 'i brolio hi, 'mond am bod gynnyn nhw'm digon o gyts i ddeud fel arall!' Roedd o'n gwenu arni o hyd, a'i wallt yn gudynnau blêr o amgylch ei lygaid. Edrychai fymryn yn iau na hi, ond wrth iddo ymhelaethu a rhestru'r dramâu o werth yn yr ŵyl, roedd hi'n amlwg iddi fod ganddo hen ben. Ac wrth i'w sgwrs lifo, roedd y llygaid Maltesers yn rhythu . . . fel pe baent yn ei dadwisgo'n araf.

'Ti i weld yn gwbod lot am ddrama!' meddai Sara, ond cyn iddo gael cyfle i'w hateb, tarfwyd ar eu sgwrs gan Albanwr sychedig. Gafaelodd Sara yn ei diod, yn drist bod eu sgwrs ar ben, ac aeth i chwilio am Elain. Ond cyn iddi fynd o'i olwg, clywodd o'n galw ar ei hôl.

'Cer draw i'r Underbelly – fan'na 'di'r lle i rywun efo tipyn o chwaeth, fatha chdi!' a saethodd winc sydyn secsi. 'Ma actorion y *film festival* i gyd yno heno – i fod!'

'Rhys Gruffydd?' gofynnodd yn syth, ond roedd o wedi troi i dywallt wisgi.

'Gobeithio bo' chdi 'di mwynhau dy fflyrtio, 'chos sgynnon ni 'mond pum munud am ffag a pi-pi 'ŵan,' cyfarthodd Elain. Dilynodd Sara hi'n wylaidd at ddrws y cyntedd, ond roedd ei meddwl eisoes yn cynllwynio sut i ddianc i'r Underbelly.

'Dwi'm yn meddwl ddo' i 'nôl i mewn 'sti; gin i gur pen a ma'r holl nadu 'na'n 'i neud o'n waeth . . . '

'Paid â bod yn wirion, ma' hon yn un o'r dramâu 'na fydd pawb yn siarad amdani am flynyddoedd i ddod. Ac eniwe, ma'r ail hannar i fod yn lot tawelach.' Suddodd calon Sara.

'O . . . ond dwi'n meddwl ella ma' meigren 'di o . . . '

Edrychodd Elain arni'n hir ac yn amheus; er mai ei bòs oedd hi, i bob pwrpas, roedd hi hefyd yn hen ffrind, ac yn ei hadnabod fel cefn ei llaw.

'Er dy fwyn di 'dan ni 'di dŵad i weld hwn 'sti, i roi ysgogiad i chdi hefo'r ffilm.' Teimlai Sara'n union fel pe bai'n cael pryd o dafod gan ei Mam.

'Dwi'n gwbod,' atebodd yn dila, 'ond mae o'n uffernol,' ychwanegodd, gan fflachio'i llygaid arni'n heriol. Syllodd Elain yn ôl arni.

'O, cym-on ta, lle tisio mynd?' gofynnodd, a llithrodd gwên i'w llygaid. 'I chwilio am dy blydi Rhys Gruffydd, mwn?'

'Yn yr Underbelly fydd o, medda'r boi tu ôl i'r bar!'

atebodd Sara'n sydyn, cyn i Elain newid ei meddwl. Ac ar hynny, cleciodd y ddwy eu fodcas dwbl, a'i heglu hi o'r theatr.

Roedd yr Underbelly'n un bwrlwm o bobol. Aeth Elain yn syth at y bar, ac aeth Sara i chwilio am rywle i eistedd. Roedd y byrddau a'r seddi mor brin yno ag ym mhabell fwyd yr Eisteddfod Genedlaethol amser cinio, ac ar ôl deng munud o wthio chwyslyd yn ôl ac ymlaen, doedd dim golwg o le iddyn nhw yn unman. Edrychodd Sara i gyfeiriad y bar; doedd hi ddim isio colli Elain rŵan, a honno wedi addo prynu diod iddi – am unwaith. Safodd ble roedd hi am ennyd, i roi cyfle iddi'i hun i sganio'r dorf.

'Dy hun w'ti?' meddai llais isel cyfarwydd o'r tu ôl iddi. Roedd ei anadl yn boeth ar ei gwar, yn gyrru iasau bach i lawr ei chefn. Trodd i'w wynebu.

'Sut ddoist ti 'ma mor handi?'

'O'n i'm yn licio meddwl amdanach chdi yma dy hun bach!' a chododd un ael yn awgrymog. Roedd siarad hefo hwn yn creu cynnwrf yn Sara nad oedd wedi'i deimlo erstalwm iawn, ac ar yr eiliad honno anghofiodd bopeth am Rhys Gruffydd.

'Wel, ma' Elain wrth y bar, ond ma' hi'n cymyd am byth!' Edrychodd o dros ei hysgwydd a meddyliodd Sara am eiliad ei fod o'n mynd i gynnig eu bod yn mynd i rywle arall. Fyddai Elain ddim yn meddwl ddwywaith am ei gadael hi, felly penderfynodd yn y fan a'r lle y byddai'n cytuno. Roedd hi eisoes yn

141

dychmygu'r noson yr oedden nhw ar fin ei chael, meddwi'n braf a chusanau meddal . . . pan ddywedodd o:

'Wrth y bar 'swn i 'fyd, 'sa Rhys Gruffydd yn prynu diod i fi!'

Roedd o fel pe bai amser wedi aros yn stond. Rhys Gruffydd. Bar. Yn prynu diod. I Elain. Trodd ei phen i edrych mor sydyn ag y gallai cyhyrau ei gwddf ymestyn, ac yno roedd yr olygfa fwyaf trychinebus a welodd erioed. Roedd o'n union fel bod yn ôl yn y coleg, pan fyddai Elain yn llwyddo i gael snog slei â phwy bynnag oedd crysh Sara ar y pryd. Ddeuddeng mlynedd yn ddiweddarach, a doedd dim wedi newid. Ond y tro hwn, roedd hi wedi cael ei bachau ar ei Rhys Gruffydd hi – ei Duw hi – ac yn waeth byth, roedd o'n chwerthin yn ôl, yn ei chyffwrdd yn ôl . . . roedden nhw'n . . . fflyrtio!

'Raid 'mi fynd . . . Sori.' Llwyddodd i wthio'r geiriau dros ei thafod sych, a llamu at y bar. Gwelodd fod mymryn o griw wedi hel o'u cwmpas erbyn hynny, ambell un yn gobeithio cael llofnod, eraill yn ceisio tynnu llun. Cyfarfu llygaid y cyfeillion a gwenodd Elain yn fuddugoliaethus arni.

''Ma hi ar y gair. Lle ti 'di bod, Sar? Dwi 'di bod yn deud wrth Rhys yn fa'ma amdanach chdi . . . a dy ffilm!'

Amneidiodd Elain arni i siarad, ond methai Sara'n llwyr â dod o hyd i 'run gair. Edrychodd ar Rhys Gruffydd yn sefyll o'i blaen . . . yn y cnawd, yn fwy golygus a pherffaith nag a lwyddodd ei dychymyg i'w lunio, hyd yn oed. Edrychodd yn ôl arni, yn wên lydan i ddechrau, ond ciliodd honno'n araf wrth i Sara ddechrau gwrido. Ac unwaith iddi ddechrau gwrido, doedd dim stop; teimlai'i gwaed i gyd yn rhuthro i'w hwyneb.

'Haia,' meddai Rhys. Ond methodd Sara ag yngan gair. Roedd hi'n methu dygymod â'r ffaith ei fod o yno – yno yn edrych arni hi, yn siarad â hi. Roedd yn rhaid iddi ddweud rhywbeth. Teimlai'r eiliadau fel oriau, a phawb wedi dechrau edrych arni, ambell un yn piffian chwerthin yn dawel.

'Ma'r ffilm yn swno'n y . . . ddiddorol!' ceisiodd Rhys Gruffydd eto, ac o'r diwedd llwyddodd Sara i ddod o hyd i ddigon o blwc i allu mynegi'i hun.

'Diolch!' Gwthiodd y gair allan, yn gwybod ei bod yn swnio'n union fel merch bymtheg oed. ''Sa chdi'n dda fel y prif ran . . . ' ychwanegodd, gan deimlo'n wirion yn syth.

''Wy'n edrych fel *serial killer* salw sy'n lico cerdd dant 'te, odw i?!'

'Na, dim o gwbwl . . . a dwi'n gwbod 'sa chdi byth yn brifo Scooby, siŵr!'

'Ti'n gwbod enw 'nghi i?'

'O'n i'n ista drws nesa i dy fam yng Ngŵyl y Faenol . . . '

Ar hynny, clywodd Sara sŵn chwerthin yn dod o gyfeiriad Elain – chwerthin sbeitlyd, cas.

'Ti'n lico Bryn Terfel 'fyd 'te, 'yt ti?'

'Na, y . . . Westlife.'

''Wy'n gweld!' meddai Rhys Gruffydd.

'Ond 'sgin 'run ohonyn nhw gi, 'mond cathod . . . ac un byji. 'Sgin i fawr i ddeud wrth fyjis 'yn hun . . . 'sgin ti?'

''Sa i'n siŵr . . . '

'Nag oes, dwi'n cofio 'ŵan – ti ofn adar!'

'Y . . . ?'

'GQ, un naw naw naw.'

Roedd Sara'n llwyr ymwybodol ei bod yn gwneud ffŵl go iawn ohoni'i hun, ond roedd hi'n methu â pheidio. Roedd ei nerfusrwydd yn ei gyrru i siarad yn ddi-baid.

'Ma' Sara'n dipyn bach o . . . ffan!' chwarddodd Elain.

'O'n i'n ame,' chwarddodd Rhys Gruffydd.

Teimlai Sara fel pe bai'r chwerthin yn dod o enau pob un person yn yr adeilad. Roedd hi am i'r ddaear agor a'i llyncu'n fyw. Roedd hi wedi dychmygu'r cyfarfyddiad cyntaf yma filoedd o weithiau, ond doedd yr un senario wedi bod mor erchyll â hyn. Gwyddai ei bod mor goch â thomato, ond doedd dim oll y medrai ei wneud am y peth. Roedd Rhys Gruffydd wedi dechrau rhowlio'i lygaid hefyd, wrth chwerthin yn uwch na phawb arall, a phwyso'i fraich ar ysgwydd Elain.

'Jôc, Sar; paid â chymryd dy hun mor *serious*!' chwarddodd Elain.

Clywodd y geiriau olaf yn atseinio yn ei phen yn

gymysg â'r chwerthin afreolus, wrth iddi ddechrau rhedeg am y drws a dianc i'r nos.

Rhedodd nerth ei thraed; roedd hi eisiau cael cymaint o bellter â phosib rhyngddi hi â'r actor y bu ond ychydig funudau ynghynt yn ei eilunaddoli. A'i ffrind.

'Ffrind, o ddiawl,' meddai'n uchel. Ar hynny, dechruodd fwrw; a phob deigryn ohono'n ei tharo'n ddidrugaredd. Ac wrth i'w fflip-fflops doddi oddi tani, ildiodd ei choesau hefyd, nes ei gyrru i'r llawr yn un swp gwlyb, pathetig.

'Ty'd!' Y llais rhyfedd-gyfarwydd hwnnw eto. Edrychodd i fyny drwy'i dagrau i ganfod gŵr y bar eto fyth, yn gwenu arni. 'Brysia, cyn i ti ddal niwmonia!' Ac yng ngolau lampau'r stryd, edrychai fel angel iddi. Estynnodd ei llaw i fyny'n araf, cyn cael ei sgubo i'w gôl gynnes, a'i thynnu i mewn i dacsi a ymddangosodd o nunlle. Anadlodd yn hir a dwfn, i geisio dod ati'i hun a hel digon o blwc i edrych yn ei wyneb eto.

'Paid â phoeni, ma' pawb yn gneud petha gwirion weithia; fydd o 'di anghofio am y peth erbyn fory.'

'Ond ti'm yn dallt!'

'Be, ti'n meddwl bo' fi 'rioed 'di gwirioni 'mhen ar rywun?' gofynnodd, a'i ael awgrymog wrthi eto. Ac er ei bod yn crynu gan oerfel, teimlodd gynhesrwydd sydyn y tu mewn iddi.

'Ti awydd potal o win?' gofynnodd.

Llowciwyd y botel win *room service* mewn dim o dro, a'r ddau ffrind newydd yn syllu ar ei gilydd wrth lyncu un cegiad ar ôl y llall. Actor oedd Cai Garmon hefyd, ac roedd hi'n iawn iddi'i weld yn rhywle o'r blaen am ei fod wedi ymddangos yn *Rownd a Rownd* flynyddoedd ynghynt. Roedd o wedi aros yng Nghaeredin ers graddio o'r coleg drama, yn gweithio ym mar y theatr rhwng prosiectau actio, ac ar fin dechrau ffilmio'i ran mewn ffilm fechan i Sianel Pedwar. Llifodd y sgwrs mor hawdd â'r gwin, a'i frwdfrydedd am ei waith, ynghyd â'i ddiddordeb yn ei sgwennu hithau, yn heintus.

Pan ddaeth y gwin i ben, mentrodd Cai ei chyffwrdd hi; cyffyrddiad tyner, cariadus, a wnaeth i'w chalon gyflymu a'i hanadl fyrhau. Yna anwesodd ei boch a'i gwallt â chledr feddal ei law, a thoddodd hithau i'w freichiau. Fflachiodd ei meddwl yn ôl at ddelweddau o Rhys Gruffydd, ac i'w holl ffantasïau gwirion o garu ag o. Doedd yr un ohonyn nhw'n cyffwrdd â'r teimlad anhygoel a roddai'r actor bach hwn iddi. Gwenodd arni eto – gwên rywiol, groesawus, cyn gafael yn wyllt ynddi a'i chusanu'n nwydus.

Ymdoddodd y ddau ym mreichiau'i gilydd, a deffrodd Cai bob dafn ohoni – dafnau na lwyddodd Rhys Gruffydd ei breuddwydion i'w deffro erioed.

Yn y cyfamser, mewn gwesty hynod ddrud ym mhen arall Caeredin, bangiai pen Elain yn ddidrugaredd yn erbyn y wal, a phob gwefr wedi diflannu o'r foment y tynnodd Rhys Gruffydd ei drôns.

Torri syched

Roedd ei mam yn dweud bob amser mai yn araf deg y dylai merch hudo dyn – fel pysgotwr yn taflu abwyd i'r llyn a'i ddenu'n araf, araf cyn ei ddal yn sownd ar y bachyn. Ei ddal yn dynn yn ei chrafanc fel nad oedd modd iddo ddianc, a chydag amser byddai'n colli pob ysfa am ryddid. 'Pwyll piau hi,' meddai ei mam. 'Daw'r pethau gorau i'r rhai amyneddgar.'

I Sharon, anodd iawn oedd bod yn bwyllog pan nad oedd unrhyw ddyn wedi bod ar gyfyl ei gwely ers chwe mis. Collodd y gronyn olaf o amynedd bythefnos yn ôl pan sylweddolodd, wrth iddi orfod mynd i'r gwely'n gynnar efo cur pen, fod Mrs Morus drws nesaf wrthi'n cael ei sgriwio'n swnllyd yr ochr draw i'r pared. Fyddai hynny ddim yn broblem 'tasai'r ddynes yn ei thri degau fel Sharon, neu hyd yn oed yn ei phedwar degau. Y broblem oedd ei bod hi a Walter, y gŵr, yn eu chwe degau hwyr o leiaf, a doedd dynes a wisgai binaffor blodeuog wrth begio'i blwmars mawr llwyd ar y lein ddim i fod yn shagio fel cwningen ar sbîd, na chadw Sharon yn effro wrth daro postyn y gwely ar y wal.

Nid bod yn ddynes sengl oedd yn ei phoeni – roedd digon o ferched yn y dre yr un oed â hi heb gymar. A

148

ph'run bynnag, roedd yn mwynhau ei hannibyniaeth. Y rhyddid hyfryd hwnnw o beidio â gorfod bod yn atebol i neb ond hi ei hun. Dim gŵr i'w blesio, dim plant i redeg ar eu holau. Bywyd diofal, perffaith. Ond er hynny, fyddai'r awydd am ryw a'r ysfa am gyffyrddiad corff dyn byth yn bell o'i meddwl. Yr arogl chwys a phersawr yn un gymysgfa feddwol, y bysedd yn rhwygo dillad oddi ar gyrff ei gilydd, yr angen anifeilaidd, bron, i gyfannu'n wyllt â pherson arall, i reoli a chael ei rheoli. Byddai'n mwynhau'r ffantasïau dyddiol . . . sgarffiau sidan yn clymu dwylo'n ysgafn a'i thong llaes yn cael ei larpio oddi ar ei chorff. Teimlo'r gwaed yn llifo i'w phen wrth i'r gwres gael ei wthio'n galed i mewn iddi gyda rhythm angerddol, cyn cyrraedd uchafbwynt nefolaidd o weiddi ac ochneidio, a thonnau o bleser yn torri dro ar ôl tro dros bob rhan o'i chorff.

Byddai'r ffantasïau'n cael eu gwireddu bob penwythnos fel arfer, a byth gyda'r un dyn ddwywaith. Roedd amrywiaeth yn bwysig iawn i Sharon, ac roedd digonedd o bysgod yn y môr yn barod i'w bachu a'u blasu bob amser. Gorau i gyd os oedden nhw'n ddynion priod – mwy o her ond eto'n haws o lawer. Collodd gyfrif o sawl rhic oedd ar bostyn ei gwely erbyn hyn, ac roedd yn falch ohoni ei hun am hynny.

Ond, yn ddiweddar, bu'n gorwedd yn ei gwely gyda'r nos yn troi a throsi, yn methu deall sut aeth popeth o'i le. Pam na lwyddodd i fachu'r un dyn na gweld yr un wialen ers hanner blwyddyn!

Am y misoedd cyntaf, byddai'r gwningen fecanyddol oedd ganddi yn y gist fechan bren yn ei chadw'n fodlon. Doedd dim rhaid poeni am gwmni gwrywaidd, roedd ganddi bopeth a oedd angen arni i ddiwallu ei chwant yn y peiriant bach llachar. Byddai fel rhyw gyfrinach ddrygionus bob tro y gwasgai'r botwm bach pinc, a'r peli bach amryliw yn saethu i bob cyfeiriad o fewn y gwningen; yn ei hatgoffa o raglen y loteri ar nos Sadwrn – rhyw loteri erotig, gudd. Y gwahaniaeth oedd bod peli hwn yn dod â'r un canlyniad bob tro. Roedd y gwningen yn garantîd o ddod â phleser wrth grynu yn erbyn ei mannau dirgel.

Gweithiai popeth yn iawn am gyfnod ond wedi misoedd yn dilyn yr un patrwm, dechreuai'r ysfa grynhoi yn ddwfn y tu mewn iddi, fel cynrhonyn bach yn bwyta'i ffordd drwyddi yn araf deg, ac yn tyfu bob diwrnod. Erbyn y pumed mis o sychder, a'r artaith o orfod gwrando ar Mrs Morus drws nesaf yn cael ei digoni bob wythnos, roedd yn rhaid gwneud rhywbeth.

Digwydd bod yn sbio trwy gylchgrawn yr oedd hi pan welodd hysbyseb a addawai newid ei ffortiwn. Anaml y câi lonydd yn ystod ei shifft wrth dderbynfa swyddfa'r cyngor i wneud unrhyw beth ond teipio, ffeilio neu ateb y ffôn, ond heddiw diolchodd am y llonyddwch.

Pan ddechreuodd weithio yno, roedd hi wedi bod

yn ffordd wych o gyfarfod â dynion. Wynebau newydd bob dydd ac esgus perffaith i siarad gyda'r rhai del. Dysgodd fod agor botwm ychwanegol ar ei blows yn ffordd effeithiol o berswadio'r bòs i adael iddi fynd adref yn gynnar, a bod defnyddio llais rhywiol ar y ffôn yn gallu newid meddwl unrhyw gynghorwr blin. Dysgodd dric hefyd a hoeliai sylw unrhyw ddyn del a ddeuai at y cownter, a gwyddai y byddai'n garantîd o'i fachu y tro nesaf y gwelai ef allan ar nos Sadwrn yn y dref.

Pan welai darged golygus yn dod at y cownter, gollyngai Sharon ddarn o bapur ar lawr, ac wedi troi 'i chefn ar y dyn, byddai'n plygu drosodd i'w godi – yn araf – gan wneud i'w sgert godi'n raddol, fodfedd ar y tro. Erbyn i'w bysedd gyrraedd y llawr, gwyddai fod gwaelod ei syspendars yn dangos, a'r dyn yn cael llond llygad o'i *hold-ups* sidan du. Wrth godi, byddai'n troi i edrych arno gyda llygaid llo enfawr a gwthio'i bronnau allan wrth osod y papur yn ôl ar y cownter. Fflachiai llygaid y targed yn wyllt bob tro a byddai Sharon yn cyffroi wrth ddychmygu'r ymateb y tu mewn i'r trywsus y tu ôl i'r cownter. Byddai'r tric bach hwn yn sicrhau bod y dyn yn awchu am weld mwy – tipyn mwy – y tro nesaf y byddent yn cyfarfod.

Dim ond unwaith y methodd y tric fachu un o ddynion y swyddfa. Roedd o'n sefyll yng nghornel dywyll y Llong rhyw bythefnos ar ôl iddi chwarae 'i thric ac, wedi dal ei lygaid, llithrodd drwy'r dorf ato ef a'i gyfaill, gan wthio'i chluniau i'r naill ochr a'r llall

151

gyda phob cam. Pan oedd o fewn troedfedd iddo, syllodd arno'n awgrymog a phowtio'i gwefusau cochion wrth sugno'i diod trwy welltyn. Digon llugoer oedd ei ymateb, fodd bynnag, a phrin yr edrychodd arni. Roedd ei hyder yn disgyn yn ddarnau o'i chwmpas, ac wrthi'n chwilio'n frysiog am 'Plan B' yr oedd hi pan sylwodd fod llaw gyhyrog ei gyfaill yn cuddio'n gynnil yn ei boced ôl. Gwastraffu'i hamser oedd hi yn fan'na. Trodd ar ei sawdl yn siarp a cherdded i ffwrdd mewn siom. Amhosib fyddai bachu pysgodyn nad oedd yn nofio gyda'r llif.

Gwenodd o gofio am 'yr un a ddihangodd' wrth bori trwy'r erthyglau am ffasiwn a chlecs byd y sêr, a chyrhaeddodd y dudalen olaf. Doedd Sharon erioed wedi bod yn un am ddarllen yr hysbysebion budr yng nghefn y cylchgronau. Doedd y math yna o beth ddim yn apelio ati – ceisio denu pobl anffodus a despret i dalu crocbris am ryw dros y ffôn oedden nhw, gyda rhywun a oedd, fwy na thebyg, yn hen, hyll a thew. Byddai'n well ganddi hi gael sgriw gyda choc fawr, galed go iawn. Efallai mai'r diffyg coc diweddar a'i harweiniodd i daro golwg dros y tudalennau cefn y diwrnod hwnnw, ac am y tro cyntaf roedd y cynigion am ychydig o antur erotig, anhysbys yn dechrau apelio . . .

Hoeliwyd ei sylw ar un hysbyseb a dechreuodd ei haeliau godi wrth ddarllen y geiriau. Teimlai fel petaent yn siarad gyda hi, a hi yn unig. Chwilio am bobl sengl, mentrus. Dim ymrwymiadau. Cydbleseru cudd. Rhyw anhysbys. Unrhyw le, unrhyw bryd. Roedd hwn yn apelio. Estynnodd am ei ffôn o'i bag, a heb gymryd eiliad arall i ystyried y peth, dechreuodd bwnio'r rhif gyda'i llaw dde. Brathodd ei gwefus waelod yn gyffrous, gan adael i'w llaw chwith grwydro i lawr o dan ddefnydd ei nicers. Cyn iddi golli arni'i hun a chael ei dal gan un o weithwyr eraill y swyddfa, llithrodd i'r toiled, cloi'r drws ac eistedd i wneud yr alwad. Rhuthrodd y gwaed i'w phen wrth iddi siarad gyda llais dieithr. Esboniodd yr hyn roedd hi'n chwilio amdano a sicrhawyd hi gan y dyn ar ben arall y lein ei bod hi'n swnio fel y math o berson fyddai'n mwynhau'r profiad. Wrth gadarnhau'r trefniadau, methai â chredu pa mor hawdd oedd y cyfan. Os oedd y dyn yn gallu darparu y naw modfedd a addawodd, roedd hi'n siŵr na châi siom. Rhoddodd y ffôn i bwyso ar dop y toilet, lledu ei choesau ac estyn ei llaw chwith yn ôl i lawr ei nicer. Pwysodd yn ôl gydag ochenaid a llithrodd ei llaw dde o dan ei bra i fwytho'i bronnau. Ar ôl misoedd o aros, roedd hi'n edrych ymlaen at gael rhywun arall i wneud hyn drosti.

* * *

Wythnos yn ddiweddarach, roedd Sharon yn eistedd yn ei char yn aros i'r ffantasi gael ei gwireddu. Roedd ei chorff yn un gymysgfa feddw o nwyd, ofn a chyffro. Teimlai curiad ei chalon fel trên allan o reolaeth, yn taranu yn ei chlust. Culhaodd ei llygaid wrth geisio darllen rhif y car oedd newydd yrru i mewn i'r maes parcio, ond roedd yn rhy bell. Teimlai fel cyfogi wrth i realiti'r hyn roedd hi am ei wneud ei tharo. Beth ddywedai hi wrtho? A fyddai o'n disgwyl iddi hi siarad yn gyntaf? Malu awyr? Llaciodd yr ofn yn sydyn wrth iddi sylweddoli nad dyna'r car y bu'n aros amdano. Llifodd dafn bach o chwys yn araf i lawr ei hasgwrn cefn ac ymestynnodd ei bysedd fel bod yr ewinedd hirion, coch yn sgleinio yng ngolau lamp y maes parcio.

Estynnodd am ei ffôn symudol am y pumed gwaith mewn deng munud. 7:55. Pum munud i fynd. Doedd hi ddim yn rhy hwyr i anghofio'r syniad. Dianc o 'ma at gysur ei chwningen. Estynnodd ei llaw a'i rhedeg drwy'i chudynnau modrwyog du a syllu yn y drych. Gwasgodd ei gwefusau at ei gilydd a syllu ar gochni gwaedlyd y minlliw.

7:58. Hi oedd yr unig enaid byw yn y maes parcio. Dechreuodd feddwl eto am y dyn anhysbys. A fyddai o eisiau gwneud y weithred yn ei char hi, neu yn ei gar o? Efallai y byddai'n ei thywys at lan yr afon ac yn gwneud dynes ohoni ar y fainc bren. Efallai y byddai'r angerdd mor bwerus fel na chyrhaeddent y glaswellt hyd yn oed, y byddai'n cydio ynddi'n nwydwyllt ac yn rhwygo'i nicer oddi arni cyn gwthio'i aelod yn ddwfn i mewn iddi ar foned ei char. Cynhesodd pob pegwn o'i chorff wrth i'r darluniau fflachio yn ei meddwl.

Brathodd ei gwefus waelod wrth ddychmygu'r dyn yn cerdded yn araf at ddrws ei char, ei lygaid mawr duon yn syllu'n awchus drwy'r gwydr arni. Dychmygai law gadarn yn llithro dan yr handlen a'r drws yn agor yn ddidrafferth gan ddatgelu ei choesau lluniaidd, ei theits *fish-net* a'i sgert ledr dynn at ei chluniau. Byddai ei lygaid yn crwydro'n awchus at ei blows denau goch, ac yn sylwi ar y tri botwm agored yn lled-guddio'r bronnau caled o dan y defnydd, gan ysu am gael eu cyffwrdd a'u tylino. Byddai eu llygaid yn cyfarfod a dyna ffawd y noson wedi'i selio, a'r ddealltwriaeth a drefnwyd dros y ffôn yn cael ei gwireddu. Fe gydiai yn ei llaw a'i chodi'n llyfn i'w thraed ac allan o'r car. Byddai hithau'n syllu arno gan osod ei llaw yn ysgafn ar bant ei fol cyn ei symud yn araf, araf i lawr ei gorff nes cyrraedd y caledwch fflamboeth rhwng ei gluniau.

Roedd y nerfusrwydd yn toddi gyda datblygiad y ffantasi. Roedd lledr sedd y car yn gynnes o dan ei phen-ôl ac esmwythodd ei hun ynddo a chau ei llygaid. Roedd heno am fod yn noson a hanner.

Heb ddweud yr un gair, byddai ei chymar yn ei harwain at flaen ei char, yn gosod ei ddwy law ar ei bronnau, a'i gwthio i eistedd i lawr ar y boned. Ufuddhâi hithau, a'r lleithder y tu fewn i'w dillad isaf yn gynnes yn erbyn ei chnawd. Gydag ystum sydyn, byddai'n rhwygo'i blows gan chwalu'r botymau gloyw i bob cyfeiriad a thynnu ei bra i lawr. Byddai Sharon yn lledu ei choesau ac yn ymestyn ei chefn am yn ôl yn erbyn llyfnder ffenest flaen y car. Wrth wthio'i bronnau tua'r nef a theimlo'r awel yn llyfu ei thethi, byddai'r dyn yn neidio ar y bonet ac yn llithro ei law yn fedrus i fyny ei sgert i gyffwrdd â'r gwlybaniaeth. Ei frest yn erbyn croen noeth ei brest hithau, ei anadl boeth ar ei gwddf, ias yn crynu drwy ei chyhyrau a thafod cynnes yn llio a sugno pob modfedd o'i bronnau.

Ar ôl ymbalfalu gyda botymau ei drowsus, byddai ei bysedd yn cyffwrdd â'r hyn y bu'n awchu mor, mor hir amdano. Naw modfedd o bleser pur. Gyda'r gwythiennau'n pwmpio'r gwres i'w llaw, byddai Sharon yn cydio ynddo a'i fwytho'n rhythmig nes ei fod yn berffaith galed a pharod am waith. Byddai'n llithro'i bysedd i lawr at fochau ei din ac yn gwasgu'n dynn wrth iddo yntau wthio'i hun i mewn iddi dro ar ôl tro ar ôl tro; ei hewinedd yn suddo ymhellach i groen ei din wrth i'w goc ddyrnu i mewn iddi, a phob gwthiad yn mynd â hi yn agosach ac yn agosach at y ffrwydrad. Oerni'r gwydr ar ei chefn, yr awel ar ei thethi, cyhyrau ei ben-ôl o dan ei bysedd a sŵn y ddau fel anifeiliaid gwyllt yn llenwi'r maes parcio. Yn y ffantasi, torrodd y don orgasmaidd dros Sharon a gollyngwyd y tân gwyllt i ffrwydro ynddi wrth iddi sgrechian ei gorfoledd.

Tynnwyd hi'n annisgwyl o fyd ei ffantasi gan gnoc ar ffenest ei char. Trodd ei phen a chraffu ar y siâp y tu hwnt i'r gwydr, a oedd wedi stemio bellach. Doedd ei wyneb ddim yn glir, ond gallai weld gwallt tywyll . . . nage . . . gwallt brith . . . Goleuwyd y rhychau ym mhantiau ei fochau ac roedd osgo'i gorff wrth iddo bwyso ar y ffenest yn awgrymu bod ei gefn ychydig yn grwm. Roedd o'n hen! Roedd y stŷd myffin roedd hi wedi trefnu cyfarfod ag ef wedi dod o oes y deinosoriaid! Ac, yn waeth, roedd rhywbeth yn ofnadwy o gyfarwydd amdano. Cynyddodd ei phanig wrth iddi fethu'n lân â rhoi enw na lleoliad i gysylltu'r wyneb ag unrhyw brofiad o'i gorffennol.

Gwnaeth sioe o ymbalfalu am y botwm i agor y ffenest er mwyn gwastraffu ychydig eiliadau i hel ei meddyliau at ei gilydd. Ond cnociodd ar y ffenest eto. Roedd yn sefyll yn agos iawn erbyn hyn a'i anadl yn gadael ei hôl ar y gwydr. Gwyddai Sharon nad oedd troi 'nôl mwyach. Agorodd y ffenest yn araf, a datguddiwyd wyneb y dyn fesul modfedd.

'Sharon?!' meddai'r dyn mewn llais bach gwichlyd.

'O mai laiff. Walter!?' Doedd hyn *ddim* yn rhan o'r cynllun. Doedd cyfarfod â phensiynwr am noson wyllt o ryw *ddim* yn rhan o'i ffantasi. Doedd Sharon yn bendant *ddim* . . . Na! Hold on.

Craffodd ei llygaid wrth ddilyn amlinelliad ei gorff. Hmm . . . ys gwn i . . . jest am unwaith . . . efallai? Torrodd gwên fach slei ar draws ei hwyneb wrth iddi ddod i benderfyniad. Wedi'r cyfan, roedd y pysgod wedi mynd yn brin iawn yn yr afon, a hyd yn oed yn fwy anodd i'w dal. Ac os oedd hwn yn ddigon da i wneud i Mrs Morus udo'n orfoleddus drwy'r nos . . .

Fyddai'r pysgodyn yma ddim yn cael dianc o'i

bachyn heno. Agorodd fotwm arall ar ei blows ac agorodd y drws.